NOUVEAUX PARADIGMES
POUR LA CRÉATION
D'ÉCOLES QUALITÉ

Brad Greene

Avant-propos
du
Dr William Glasser

Chenelière/McGraw-Hill
MONTRÉAL • TORONTO

Nouveaux paradigmes pour la création d'écoles qualité

Traduction de: *New Paradigms for Creating Quality* Schools,
© 1994 Brad Greene
Avant-propos du Dr William Glasser

Traduit par Gervais Sirois

© 1997 Les Éditions de la Chenelière inc.

Coordination: Pierre-Marie Paquin
Révision linguistique: Michelle Martin
Correction d'épreuves: Pierre Phaneuf
Infographie: Rive-Sud Typo Service inc.
Couverture: Michel Bérard

Données de catalogage avant publication (Canada)

Greene, Brad

    Nouveaux paradigmes pour la création d'écoles qualité

    Traduction de: New paradigms for creating quality schools
Comprend des réf. bibliogr.

    ISBN 2-89461-065-3

    1. Administration scolaire — États-Unis — Cas, Études de.
2. Administration scolaire.   3. Qualité totale.   4. Enseignement —
Réforme.   5. Relations maîtres-élèves.   6. Motivation en éducation.
I. Titre.

LB2805.G73414 1996   371.2'0973   C96-941048-4

Chenelière/McGraw-Hill
215, rue Jean-Talon Est
Montréal (Québec)
Canada H2R 1S9
Téléphone: (514) 273-1066
Chenelière Télécopieur: (514) 276-0324
McGraw-Hill e-mail: chene@dlcmcgrawhill.ca

ISBN 2-89461-065-3

Dépôt légal: 1er trimestre 1997
Bibliothèque nationale du Québec
Bibliothèque nationale du Canada

Imprimé et relié au Canada

1 2 3 4 5   01 00 99 98 97

Table des matières

Dédicace

À la mémoire de mon père, Don Greene, et à ma mère, Doris Greene, dont la relation, pendant plus de cinquante ans, a été un modèle de relation de qualité. Ils ont su manifester les habiletés et assurer les conditions nécessaires pour faire grandir et durer cette relation.

À ma femme Donna aussi, qui, depuis plus de trente ans, me donne l'amour, le soutien et l'encouragement qui me permettent aujourd'hui de vous transmettre mes expériences acquises dans l'éducation publique. Au cours des trois dernières années, alors que j'étais consultant en éducation à travers les États-Unis et le Canada, elle a été ma partenaire en affaires et ma meilleure amie. Elle m'a accompagné partout, partageant avec moi idées et expériences, dans ce voyage sans fin de l'amélioration de la qualité. Chaque jour, elle a rehaussé ma qualité de vie par son amour, son acceptation et son désir d'élargir et de mettre à l'épreuve ces concepts et par ce qu'elle a apporté dans ses interactions avec les gens merveilleux que nous avons rencontrés pour ce travail.

Remerciements

Je suis très reconnaissant au Dr William Glasser pour ses conseils, son soutien, sa patience et son amitié. Le Dr Glasser a défié ma façon de penser quand, ensemble, nous avons guidé le personnel et les élèves de l'école Apollo (Apollo High School) dans l'application de concepts et de principes permettant de cheminer vers la **qualité**. Même si l'école Apollo a encore un long chemin à parcourir, nous lui avons certainement assuré un bon départ et nous sommes en plein progrès sur la route de la **qualité**.

Je dois des remerciements à plusieurs membres de l'Institut pour la gestion de la qualité du Dr Glasser qui, par leur vie et le modèle de «qualité» qu'ils m'offrent, m'ont tellement appris et ont aussi enrichi ma vie. J'adresse des remerciements particuliers à Kathy Curtiss, qui m'a servi de conseillère et d'amie, et qui m'a transmis les principes de qualité par son enseignement et son exemple. À Bob Hoglund, qui a travaillé si fort avec le personnel d'Apollo et moi-même et qui, par sa patience et son habileté, nous a entraînés sur la route de l'amélioration. À Jeanette McDaniel, membre senior de l'Institut, qui a joué un rôle clé dans ma formation pour devenir membre certifié; je n'aurais pu avoir de meilleur modèle dans la mise en application des concepts d'école qualité. À Linda Harshman, directrice et membre de l'Institut, qui, par son enseignement et ses encouragements, m'a aidé tout au long de cette démarche. À Perry Good, membre de l'Institut et auteur, qui m'a accordé conseils, appui et encouragement dans l'écriture de ce livre; sans son aide, j'aurais sans doute abandonné le projet quand je ne voyais plus la lumière au bout du tunnel. À John

Kohlmeier, qui ne m'a pas seulement fait d'excellentes suggestions, mais m'a aussi permis de publier ce livre; John n'est pas seulement un ami, mais il est aussi un bon exemple d'enseignant de qualité. Mes trois enfants ont eu l'honneur d'être ses élèves et ils témoignent que John a été l'un des meilleurs enseignants qu'ils ont eus pendant leur expérience de l'école publique. À Nancy Salmon, qui m'a aidé dans la difficile transition de lecteur à écrivain.

Finalement, merci aux enseignants des trois cents écoles où j'ai eu l'honneur de travailler au cours de ces trois dernières années dans mon nouveau rôle de formateur à plein temps pour une école qualité. Vous m'avez enseigné une grande leçon par votre empressement à prendre des risques et par vos efforts à introduire ces nouveaux paradigmes dans vos programmes. Ce livre s'appuie en grande partie sur l'histoire et l'exemple de vos succès. Vous avez prouvé que l'introduction de ces principes de qualité dans notre propre vie est le facteur le plus important pour qu'ils deviennent une réalité dans la vie des élèves. Vous avez prouvé que ces paradigmes fonctionnent, qu'ils rehaussent la qualité de nos vies et de nos écoles.

Avant-propos

Le plus grand obstacle à l'apprentissage est la peur: la peur de l'échec, la peur de la critique, la peur de paraître stupide, la peur de parler, la peur de risquer, la peur d'essayer, la peur du désaveu, la peur de décevoir les autres, et même la peur de réussir. Nous devons établir des conditions à travers lesquelles il est sécuritaire pour les élèves de risquer de faire des erreurs. Un enseignant de qualité permet à chaque élève l'erreur sans punition. Enlever la peur pour favoriser l'effort. Admettre l'erreur pour encourager l'apprentissage. Établir la confiance pour transmettre un message: «Je suis ici pour t'aider, non pour te punir; je recherche le meilleur de ton intérêt. Quand tu te réalises, que tu fais un travail de qualité et que tu réponds à tes besoins fondamentaux, alors moi aussi je le fais.» Le fait de construire un climat de confiance ou de peur déterminera si nous faisons un travail de qualité ou un travail «juste assez bon».

La plus importante qualité requise pour créer ce type d'environnement est l'habileté à gérer les autres. Ce livre, attendu depuis longtemps, décrit clairement ce que Brad Greene a fait quand il a décidé d'essayer de transformer l'école Apollo en une école qualité. Comme directeur, Brad a démontré le style de gestion et les habiletés nécessaires pour créer des écoles qualité; c'est ce que je nomme «la gestion du leader». L'école Apollo a parcouru un bon bout de chemin pour devenir une école qualité, mais je n'ai aucun doute que, si Brad était resté à Apollo, cette école aurait parcouru tout le chemin.

Depuis qu'il s'est joint à moi en 1991 à titre de consultant et de formateur à plein temps de l'école qualité, Brad a influencé plusieurs enseignants, administrateurs et commissaires. Grâce à ses vues relatives au concept d'école qualité, à sa compréhension de la théorie du contrôle et à son expérience à Apollo, plusieurs écoles sont maintenant sur la voie de devenir des écoles qualité. Le rôle du leader de l'école est vital: s'il ne joue pas le rôle décrit ici, rien de signifiant ne se produira. *Nouveaux Paradigmes pour la création d'écoles qualité* est un livre traitant de l'engagement, des habiletés nécessaires, du travail ardu que l'instauration du programme école qualité demande et de la satisfaction de voir les élèves accomplir un travail de qualité et réussir. Si vous êtes intéressé à ce que votre école prenne le virage de l'école qualité, lisez ce livre!

Dr William Glasser
Novembre 1994

Préface

En 1987, le Dr William Glasser a commencé à travailler avec le personnel et les élèves de l'école secondaire Apollo, dans le sud de la Californie, où j'étais directeur. Il fut le premier consultant à devenir digne de confiance aux yeux de nos enseignants, en leur démontrant une à une les étapes pour atteindre le succès en utilisant ses idées à propos des écoles qualité.

Dans le passé, nous avions essayé plusieurs programmes de développement des employés et nous avions sincèrement tenté d'implanter ce que nous avions appris dans ces formations, mais les résultats ne semblaient pas durer plus d'un an. Maintenant, je sais pourquoi. Tous ces programmes visaient la transformation de l'autre. Ils cherchaient soit à améliorer les enseignants, ou à rendre les élèves conformes, ou à les rendre meilleurs apprenants, ou à corriger leurs mauvais comportements. Le Dr Glasser nous a enseigné de nouveaux paradigmes, et leur portée dans notre école fut énorme. Il nous a appris qu'un manque de qualité dans le travail n'était pas la faute des gens, du personnel, des élèves ou des parents, mais relevait de problèmes extérieurs à eux et plutôt inhérents au système même. Un changement global de paradigme s'avérait la clé pour en sortir.

Un paradigme est un modèle mental de la façon dont les choses fonctionnent dans le réel. C'est, d'une certaine façon, «notre meilleure explication» fondée sur notre expérience et sur les informations reçues. Nos croyances, nos valeurs et nos actions sont déterminées par nos paradigmes. Lorsque nous assimilons de nouvelles informations, cependant, nos paradigmes peuvent changer et, quand cela arrive, nos pensées et nos comportements changent aussi. Considérez, par exemple, le changement révolutionnaire de paradigme qui nous a conduits au système de gouvernement démocratique américain actuel. Depuis plusieurs siècles, l'Europe de l'Ouest a été influencée par le paradigme prédominant que certains individus sont intrinsèquement supérieurs aux autres en raison (ou par accident) de leur naissance. Ce paradigme était sous-jacent au style de gouvernement par monarchie, système de classe rigide, transmis à la descendance par hérédité. «Tous les hommes naissent égaux» est un paradigme très différent qui, une fois accepté, a amené les gens, entre autres, à quitter l'Europe pour l'Amérique, à écrire la Déclaration d'indépendance, à élire un gouvernement dirigé par un président élu pour des mandats déterminés, à se donner un système d'éducation publique universel.

Il est difficile d'identifier les paradigmes qui guident nos pensées et nos actions, mais d'analyser nos paradigmes peut nous apporter de grands bénéfices. Quand les choses ne vont pas aussi bien que nous le souhaitons, il est tentant de blâmer quelqu'un ou quelque chose pour cet état de choses. «Si seulement je (ou quelqu'un d'autre) pouvais travailler plus fort, différemment, mieux..., alors tout irait bien.» Le problème, cependant, n'est souvent pas dans l'effort, l'habileté ou les intentions des gens, mais plutôt dans les paradigmes à la base de leurs actions. Si nous sommes capables d'amener les gens à changer de paradigmes, habituellement nous découvrons que leurs actions, leurs croyances et leurs valeurs changent aussi. Un changement de paradigme a un effet d'enchaînement: un changement en suscite un autre.

Le Dr Glasser nous a aidés à voir les choses différemment et à adopter de nouveaux paradigmes. Nos attitudes et nos comportements ont donc changé, ce qui a entraîné une amélioration de la qualité dans nos relations, dans l'environnement scolaire et dans le travail scolaire des élèves.

Chapitre 1

D'un travail assez bon
à un travail de qualité

Trop souvent les administrateurs scolaires et les enseignants ne s'intéressent qu'à ce qui est «assez bon». Quel résultat est «assez bon» pour qu'un test soit réussi? Les résultats sont-ils «assez bons» pour valoir un A? un B? un C? Combien faut-il d'unités pour être «assez bon» et obtenir son diplôme? Avec autant d'éducateurs occupés à définir les niveaux minimums de compétence, peut-être ne devrions-nous pas être surpris que beaucoup d'élèves atteignent tout juste, sans beaucoup les dépasser, les niveaux peu élevés de réussite qui reçoivent tant d'attention. Par contre, si les élèves ajustaient leurs vues sur l'excellence, les chances seraient bien meilleures qu'ils finissent par obtenir des résultats de qualité. S'efforcer d'atteindre la qualité, c'est un peu comme se préparer à sauter un obstacle: on ne doit pas se préoccuper de sauter juste «assez haut» quand il n'y a aucun danger à sauter trop haut. En visant le meilleur, vous vous assurez du «assez bon».

Les critiques dénoncent souvent les écoles publiques pour leur échec à former des jeunes qui, à la fin de leurs études, savent lire et écrire, soient compétents, se conduisent comme des citoyens responsables, soient bien préparés pour leur emploi futur ou pour les rigueurs du collège. Peu de réformes en éducation ont généré des améliorations durables et importantes. Cependant, le mouvement des écoles qualité est rempli de promesses. Ce mouvement a été lancé par un psychiatre, le Dr William Glasser, lequel est devenu un leader en éducation avec la publication de *Schools Without Failure* (1969) et, plus tard, de *The Quality School* (1990). Déjà bien connu pour sa thérapie de la réalité, technique de relation-conseil, le Dr Glasser a combiné les principes de la théorie du contrôle avec les vues du Dr W. Edwards Deming relatives à la qualité et a développé un plaidoyer pour la création d'un environnement scolaire très différent de celui qui nous est familier, un environnement dans lequel l'intérêt est centré sur le travail de qualité, où la discipline est maintenue sans coercition et où les élèves évaluent continuellement leur propre travail.

Les changements nécessaires pour passer du «assez bon» à la qualité sont nombreux et substantiels. Comment cela peut-il se faire? On ne peut pas vraiment enseigner aux gens comment changer. On peut leur faire des suggestions, leur donner des idées, partager avec eux des stratégies, leur offrir de la formation. Cependant, une école ne peut pas copier intégralement le programme d'une autre école pour devenir une école qualité. Le changement nécessite une décision qui doit venir de l'intérieur de chaque personne, et les preneurs de décisions de chaque école doivent créer leur propre parcours pour conduire celle-ci vers la qualité.

Toute chose est créée deux fois. La première est la création mentale, vient ensuite la création physique. Si nous ne prenons pas part à sa création mentale, il est peu probable que nous nous engagions dans sa création physique. La réussite, l'engagement et l'appartenance dont nous avons besoin pour découvrir la qualité viennent de ces deux types de création. Si nous ne faisons pas partie intégrante des deux, ça ne marchera pas. Quand vous suscitez la réussite et l'appartenance, vous développez aussi l'engagement et la fierté, et de la fierté émerge la qualité.

Quand le Dr Glasser a commencé à travailler avec nous, l'école secondaire Apollo avait la réputation d'être à peu près dans la moyenne, pour une école recevant surtout des élèves à risque. L'assiduité quotidienne oscillait autour de 72 % des élèves inscrits. Les résultats aux examens étaient faibles. Les frais de réparation découlant du vandalisme étaient élevés. Les retards, les mauvais comportements et la consommation de drogue étaient des problèmes fréquents. Certains élèves étaient en probation pour diverses activités criminelles. Beaucoup d'entre eux venaient de familles dysfonctionnelles. La plupart de ceux qui faisaient leur travail en faisaient «juste assez» pour que ce soit accepté.

Après quatre ans, pendant lesquels le Dr Glasser nous a enseigné les nouveaux paradigmes nécessaires à la création d'écoles axées sur la qualité, l'image de l'école a considérablement changé. L'assiduité est montée à 94 %. Les frais annuels liés au vandalisme ont chuté à l'un des plus bas niveaux du district. Les résultats aux examens de l'État ont grimpé de 49 % en mathématique, en lecture et en écriture, soit la plus grande amélioration de toutes les écoles du comté de Ventura. La fréquence des retards et le nombre des problèmes de discipline ont décliné. Le taux des abandons a diminué, et le nombre des élèves diplômés qui poursuivent leurs études a augmenté. Beaucoup d'élèves avaient commencé à faire du «travail de qualité» plutôt que de faire du travail «assez bon comme il est». Les enseignants s'engageaient personnellement dans l'amélioration de l'école.

Comme consultant, ces dernières années, j'ai vu beaucoup d'autres écoles adopter avec succès les principes des écoles qualité. Ces écoles, de tous les ordres d'enseignement, à partir du primaire jusqu'aux classes les plus avancées, ont vécu des améliorations significatives sur les plans de la réussite, de la discipline et de la morale.

La première étape dans la transformation d'une école en une école qualité est d'accepter que, si nous voulons la qualité, nous devons nous centrer sur ce point. Les élèves et le personnel doivent en parler, la définir, apprendre à la reconnaître. La qualité doit devenir partie intégrante de la mission de l'école. Il ne s'agit pas d'un événement isolé, il n'y a pas de définition à retenir rapidement. Des discussions sur la qualité doivent se tenir fréquemment, en classe, dans les rencontres du personnel, entre les élèves, avec les enseignants et aussi avec les autres. À l'école secondaire Wheatland, à Wheatland (Wyoming), les enseignants se rencontrent chaque semaine pour discuter des questions relatives à l'école qualité et pour partager leurs découvertes. L'école tient aussi des rencontres mensuelles de parents pour qu'ils s'initient aux concepts de l'école qualité, posent des questions et expriment leurs inquiétudes à propos de la démarche. Organiser de telles occasions de discussions aide toute la communauté scolaire à se centrer sur la qualité.

La chose la plus importante est que les élèves et le personnel enseignant discutent fréquemment de qualité. «Quelles sont les caractéristiques de la qualité? Y a-t-il une différence entre la qualité et la quantité? Quelles barrières la qualité a-t-elle?» On devrait mettre l'accent particulièrement sur ce à quoi la qualité ressemble, sur la façon dont on la reconnaît et sur la place qu'elle occupe dans notre vie actuelle. Graduellement, le sens de la qualité et le désir de la qualité se développent.

Dans les écoles publiques d'Edina (Minnesota), on a organisé des forums pour les élèves de trois niveaux: de cinquième année, de sixième à neuvième année et de dixième à douzième année. Une semaine avant la tenue des forums, les élèves ont reçu une liste des questions qui seraient potentiellement discutées, ainsi qu'une invitation à ajouter d'autres questions relatives à la qualité, à l'amélioration de l'école et à l'apprentissage efficace. Bien que les questions de chaque niveau différaient légèrement, elles contenaient toutes certaines idées comme: Comment savez-vous quand vous faites du bon travail? Qu'est-ce qui fait une bonne classe? Dans quelles classes ou activités faites-vous vos meilleurs efforts? Pourquoi? Les notes sont-elles le reflet de vos apprentissages? Pourquoi ou pourquoi pas? Comment votre école vous aide-t-elle ou vous encourage-t-elle à apprendre? Qu'est-ce qui se fait bien dans votre école? Comment votre école pourrait-elle être améliorée pour que vous puissiez mieux apprendre?

Lors des discussions, les élèves ont dit qu'ils apprennent mieux quand ils participent activement au processus d'apprentissage. Ils aiment les tâches variées et le travail en groupe. Ils fournissent de plus grands efforts quand ils ont un défi, quand ce qu'ils apprennent est intéressant et important. Ils considèrent comme bons les enseignants qui se préoccupent de leurs élèves, qui sont amicaux, enthousiastes dans leur enseignement, bons communicateurs, justes dans leurs évaluations et qui ont des attentes élevées. Ils disent que les commentaires des enseignants sur leurs tâches leur en disent plus sur la qualité de leur travail que ne le fait la note reçue. En général, les réponses des élèves sont sensiblement identiques aux caractéristiques de l'école qualité identifiées par le Dr Glasser (*The Quality School*, 1990, p. 186-190).

Les questions clés dont nous avons discuté avec les élèves de l'école Apollo lorsqu'ils parlaient de qualité sont répertoriées à la figure 1. Des questions similaires sont à la base d'un exercice qui peut être fait par groupes de trois élèves. Chaque élève tient un rôle, soit celui de scripteur, d'intervieweur ou de porte-parole. Pendant trente minutes, les membres de chaque groupe discutent de questions déterminées jusqu'à ce qu'ils s'entendent sur des définitions. Alors, ils partagent leurs définitions avec les autres membres de la classe. Au fur et à mesure que l'enseignant écrit les différentes définitions de la qualité au tableau, les élèves découvrent les éléments communs et les similarités.

Pour que la qualité s'épanouisse, la coercition doit disparaître. Le Dr W. Edwards Deming insiste sur le fait qu'il est impossible d'obtenir un produit de qualité tant que la peur est présente. On sait qu'il y a beaucoup de peur dans les écoles de nos jours. Les enseignants peuvent récompenser ou punir les élèves et ils utilisent souvent ce pouvoir coercitif causant la peur. Des relations de travail saines ne sont jamais bâties sur la peur. Au contraire, elles doivent être d'un grand soutien, aidantes et amicales. Dans la recherche de la qualité, il est nécessaire d'apprendre les principes de gestion fondés sur la compréhension des besoins humains fondamentaux et sur la motivation interne, de façon à agir en «leader» plutôt qu'en «patron». Pour atteindre leurs buts, les leaders font participer les autres à la planification et à la prise de décision. Ainsi grandit l'engagement. Les patrons, eux, utilisent la coercition, laquelle engendre la peur.

Le troisième élément critique d'un programme de développement d'une école qualité est d'amener les élèves à évaluer leur propre travail. Au cours des années, j'ai découvert que les élèves refusent rarement de mettre l'accent sur la qualité et d'en parler. Ils favorisent la diminution de la coercition mais, très souvent, ils résistent à s'engager dans l'auto-évaluation. Le processus lui-même ne les rebute pas autant que ce qu'ils découvrent quand ils évaluent leur propre travail. Beaucoup d'élèves nous ont dit: «Si je commence à évaluer mon propre travail, je vais devoir travailler beaucoup plus fort.» Personne ne veut s'évaluer comme un être inférieur, et c'est précisément là la raison pour laquelle nous voulons que chaque élève devienne son propre évaluateur. L'auto-évaluation est une habileté. Si elle est apprise à l'école, elle peut être utilisée durant toute notre existence pour améliorer notre qualité de vie.

Êtes-vous l'une de ces personnes qui pensent que «qualité» signifie «dispendieux»? Si oui, vous faites erreur. L'un des principes du Dr W. Edwards Deming est que la qualité permet des économies! Les Japonais, qui adoptèrent les enseignements de Deming après la Seconde Guerre mondiale, ont démontré ce principe avec la très grande réussite de leur industrie de l'automobile. Lorsque nous avons choisi le sentier de la qualité à l'école Apollo, nous avons généré d'importantes économies et ce, de plusieurs façons.

L'État de la Californie accorde annuellement environ 4 000 $ par élève comme subvention à l'éducation. Ce montant, calculé quotidiennement (ADA = *a daily amount*), donne environ 23 $ par élève pour chacun des 180 jours de classe. Quand les élèves sont suspendus, l'école ne reçoit pas son ADA pendant son absence. L'année avant que le Dr Glasser ne commence à travailler avec nous, les suspensions à l'école Apollo étaient de l'ordre de 14 % de la population étudiante. Lorsque nous avons amélioré nos habiletés de communication et appris à utiliser la thérapie de la réalité (une partie de la formation au concept d'école qualité), le nombre des suspensions a descendu à moins de 1 %, nous permettant ainsi un gain additionnel de plus de 11 000 $ par année en ADA. Pendant les quatre années suivantes, nous avons eu le plus bas taux de suspension parmi les huit écoles secondaires de notre district.

Les écoles de la Californie ne reçoivent pas non plus leur ADA pour les jours où les absences des élèves ne sont pas justifiées. Nous avions une moyenne d'environ 25 % d'absentéisme par jour. Pour résoudre ce problème, les enseignants ont changé leur méthode d'enseignement afin que les élèves perçoivent que ce qu'ils apprennent en classe est vraiment utile. De plus, les élèves ont commencé à appeler les absents, essayant de les amener à fréquenter l'école. Ils ont même fait des visites à la maison quand ils n'obtenaient pas de résultats par téléphone. Le taux de présence est passé de 75 % à 90 % la première année, à 96 % la deuxième, la troisième et la quatrième année. Nos revenus ont augmenté de 98 000 $. Pendant cette période, à cause de problèmes financiers dans notre district, nous avons dû couper deux de nos trois postes de conseiller ainsi qu'un poste d'enseignant. Les ADA additionnels nous ont permis de convertir un poste de conseiller à mi-temps en un poste à plein temps, et nous avons pu remplacer le poste d'enseignant perdu.

Auparavant, le vandalisme nous coûtait de 8 000 $ à 12 000 $ par année. En développant «la qualité», les élèves ont commencé à être fiers de l'apparence du campus et ont accepté la responsabilité de l'améliorer. Ils ont peint des murales, redécoré les salles de repos et travaillé avec les enseignants à embellir les classes. Les jeunes prennent soin de ce qu'ils ont contribué à créer et à concevoir. Sur une période d'un an, les frais découlant du vandalisme ont décru à moins de 500 $. Les économies représentaient un montant plus élevé que ce qu'il nous en a coûté pour se former au concept de l'école qualité.

L'enseignant et les élèves de la classe de photographie, en collaboration avec leurs parents, ont conçu un projet où les élèves ont appris à transférer des films en huit millimètres sur des bandes vidéo. Pour un prix très bas, les parents pouvaient envoyer leurs vieux films de famille et les faire transposer sur bandes vidéo. Une partie des gains a été utilisée pour payer à ces élèves un voyage à l'institut Brooks de Santa Barbara. Ils ont pu y observer des photographes professionnels et échanger avec eux. En réalisant ce projet, les élèves ont acquis une habileté qui a enrichi leur vie et celle des autres. De plus, ils ont gagné la somme nécessaire à un voyage qui, autrement, aurait été impossible parce que le budget du district ne permettait plus l'organisation de voyages de ce genre.

Une école de Fort Collins, au Colorado, dont le personnel travaillait sur la qualité, a économisé plus de 10 000 $ en un an en réduisant le nombre de photocopies. Les enseignants, en améliorant la qualité de leurs cours, ont eu recours à moins d'exercices demandant de remplir des espaces en blanc. Les sommes ainsi économisées ont été investies à des fins plus intéressantes et utiles. Ensemble, le personnel et les élèves de l'école secondaire Copperas Cove, dans la ville du même nom au Texas, se sont donné comme objectif de réduire leur consommation d'énergie, ce qui leur a permis d'économiser environ 3 500 $ en un an. Cette école a recruté des volontaires pour aider les élèves et pour surveiller les corridors, ce qui a réduit les frais en personnel.

Ce ne sont là que quelques-unes des nombreuses voies que les écoles qualité peuvent trouver pour améliorer leur niveau actuel. La qualité permet des économies, elle n'engendre pas de dépenses supplémentaires.

Les autres chapitres de ce livre expliquent les changements de paradigmes clés favorisant la transformation d'une école en une école qualité. Ce livre ne se veut pas la recette de «comment le réaliser chez vous». Chaque école en recherche de qualité doit créer son propre processus en s'inspirant des paradigmes clés décrits ici. Les exemples et les anecdotes viennent d'un grand nombre d'écoles de tout le pays. Le défi est de générer le changement à partir de l'intérieur du système, les membres de chaque école définissant ce qu'ils doivent faire pour changer le statu quo en un processus d'amélioration continue, un voyage au pays de la qualité.

Figure 1
Questions pour discuter de la qualité

1. Quelle est votre définition de la qualité?
2. Quels adjectifs utiliseriez-vous pour décrire la qualité?
3. Comment reconnaissez-vous la qualité?
4. Quelle sorte de qualité est-ce?
5. Quelle est la relation entre «quantité» et «qualité»?
6. Nommez quelques caractéristiques de la qualité.
7. Donnez quelques exemples personnels d'un travail de qualité.
   Comment y reconnaissez-vous la qualité?
8. Comment le fait d'avoir produit un travail de qualité vous a-t-il aidé? Cela a-t-il des effets positifs sur vous? Lesquels? Cela vous nuit-il?
9. Qu'est-ce qui facilite un travail ou un produit de qualité? Qu'est-ce qui le gêne?
10. La qualité dans l'école ou l'école qualité?
    - Qu'est-ce qu'un enseignement ou une administration de qualité?
    - Donnez deux exemples de qualité dans votre école.
    - Qui devrait déterminer ce qu'est la qualité dans l'école?
    - Qui devrait déterminer si le travail scolaire est de qualité?

Chapitre 2

D'un travail occupationnel
à un travail de qualité

Avant de fournir un effort maximum dans leur travail, la plupart des jeunes doivent être convaincus que ce qu'on leur demande d'apprendre est pertinent pour leur vie présente ou future. Pour quelques-uns, il est suffisant de savoir que cela doit être appris pour réussir l'examen, pour obtenir un bon classement dans le groupe ou pour avoir un bon dossier qui leur permettra d'aller au collège de leur choix. Pour beaucoup d'autres, cependant, le contenu doit être plus utile et pratique dans l'immédiat ou alors ils ne peuvent s'y intéresser.

La structure du cours et le processus d'apprentissage dans lequel les élèves s'engagent influencent la façon dont ils s'approprient les connaissances désirées et aussi celle dont ils maîtrisent les habiletés. À moins que les cours ne sollicitent une participation active, les élèves auront de la difficulté à en mémoriser les connaissances et à en appliquer le contenu. Un enseignant de qualité me disait: «Mon but est que les élèves travaillent plus fort que moi!»

Un programme axé sur la qualité s'oriente plus sur les habiletés que les élèves ont besoin de développer que sur les notions qu'ils ont besoin de connaître, même si ces notions et ces habiletés sont étroitement entremêlées. Personne ne peut utiliser ces habiletés d'apprentissage sans avoir quelques sujets ou notions particulières à apprendre. Pour stimuler l'activité d'apprentissage, il est utile qu'il y ait de la signification, que les informations avec lesquelles on travaille disent quelque chose, mais il existe une multitude de choix de sujets. Une fois que les gens ont développé leurs habiletés d'apprentissage, ils pourront acquérir n'importe quelle connaissance qu'ils jugeront nécessaire ou utile.

De façon générale, on peut dire qu'il y a trois grandes méthodes par lesquelles les élèves apprennent: la méthode du «dis-moi», la méthode du «montre-moi» et la méthode du «fais-moi faire». Avec la méthode du «dis-moi», les élèves oublient 90 % de ce qu'ils ont entendu en moins d'une journée. Un enseignant d'histoire des États-Unis, utilisant la méthode du «dis-moi», énonce à ses élèves la liste des quarante-deux présidents, du premier jusqu'au dernier, et leur demande d'en mémoriser les noms dans l'ordre de leur élection ainsi que certains faits relatifs à chacun d'eux. Un examen objectif leur demandera de redire ce qui a été enseigné. Même si les élèves retiennent avec succès ce qu'il faut connaître pour l'examen, nous savons que, dans un laps de temps très court, ils auront à peu près tout oublié.

Avec la méthode du «montre-moi», on diffuse des informations visuelles tout autant que des informations auditives, mais l'apprentissage est encore essentiellement un processus passif et environ 50 % du contenu sera oublié en moins d'une semaine. L'observation de démonstrations ou de bandes vidéo sont des exemples habituels de la méthode du «montre-moi». Notre enseignant d'histoire, s'il utilise la méthode du «montre-moi» au lieu de la méthode du «dis-moi», peut présenter de l'information concernant les présidents sous la forme d'une projection de diapositives. Ainsi, les élèves peuvent voir aussi bien qu'entendre ce qu'on leur demande de mémoriser. Comme avec la méthode du «dis-moi», la rétention à long terme est très pauvre.

Un apprentissage réel passe par la méthode du «fais-moi faire». Les gens apprennent beaucoup plus quand ils participent activement à leur apprentissage. Dans cette approche, les élèves peuvent avoir à présenter une dramatique, à faire une expérience en sciences ou à construire quelque chose. Les gens retiennent environ 90 % de ce qu'ils apprennent par la méthode du «fais-moi faire». Pour amener ses élèves à étudier l'histoire des présidents par cette méthode, l'enseignant peut leur demander de choisir cinq présidents à connaître et leur montrer comment faire leur recherche. Il peut alors leur demander de décrire à la classe ce qui, chez chacun de leurs cinq présidents, mérite d'être retenu et aussi de répondre à la demande suivante: «Décrivez quatre ou cinq problèmes existant en ce pays pendant le mandat de chacun de ces présidents. Comment chacun a-t-il tenté de résoudre ces problèmes? Est-ce que certains de ces problèmes existent encore aujourd'hui? Si vous étiez président, comment réagiriez-vous face à ces problèmes?»

Un vieux proverbe dit: «Dis-moi et j'oublierai. Montre-moi et je peux retenir. Engage-moi et je comprendrai.» Le triangle de l'apprentissage (figure 2) illustre les trois niveaux de l'apprentissage par rapport aux niveaux d'engagement de l'apprenant.

La plupart des enseignants sont familiers avec les six niveaux d'apprentissage connus sous l'appellation de la taxonomie de Bloom: la **connaissance**, la **compréhension**, l'**application**, l'**analyse**, l'**évaluation** et la **synthèse**. Les six niveaux de la taxonomie de Bloom ne signifient pas grand-chose, cependant, jusqu'à ce qu'on puisse les décrire comme des habiletés spécifiques par lesquelles les élèves apprennent. La figure 3 décrit les six niveaux de la taxonomie de Bloom et mentionne neuf habiletés propres à chacun de ceux-ci et par lesquelles les étudiants peuvent démontrer leur compréhension de l'information et la façon dont ils l'utilisent. Quand nous pouvons utiliser ces connaissances et ces informations pour aider les élèves à les convertir en habiletés déterminées, alors les étudiants sont engagés dans l'approche du «fais-moi faire». Ce que l'on recherche dans une école qualité, c'est d'élaborer des cours et des activités d'apprentissage selon cette méthode.

Souvenez-vous que, dans une école qualité, la connaissance et l'information venant du monde réel doivent pouvoir se rendre jusque dans le monde perçu par les élèves. Elles doivent passer à travers le processus de filtration par lequel les élèves évaluent si ces connaissances sont utiles dans leur vie actuelle ou future. De façon très tangible, ils doivent percevoir comment cet apprentissage accroîtra la qualité de leur vie et peut-être aussi celle des autres.

À titre de guide pour une éducation de qualité, l'école Apollo a adopté les recommandations d'un rapport publié dans l'*Association School Curriculum and Development Journal*, en décembre 1989. On a interrogé des directeurs de personnel de plusieurs entreprises à travers les États-Unis à propos des habiletés que les élèves doivent maîtriser s'ils veulent être considérés comme des employés potentiellement désirables. Ils ont identifié sept habiletés ou caractéristiques. *Premièrement,* les élèves doivent **savoir comment apprendre**. Les compagnies s'attendent à devoir entraîner leurs nouveaux employés sur la façon de fabriquer leurs produits ou d'offrir leurs services particuliers, mais elles ne doivent pas avoir à enseigner les habiletés de base nécessaires à un élève pour réussir dans un programme de formation au travail. Actuellement, les compagnies dépensent 35 milliards de dollars par année pour donner des cours de rattrapage aux nouveaux employés avant de pouvoir les entraîner de façon spécifique, selon *The Learning Gap* (1992) de Harold Stevenson. *Deuxièmement,* les élèves doivent avoir des **habiletés d'écoute** et, *troisièmement,* **de communication orale.** *Quatrièmement,* les jeunes ont besoin de **compétences en lecture, en écriture et dans l'utilisation de l'ordinateur.** *Cinquièmement,* les nouveaux employés doivent **pouvoir s'adapter.** Les compagnies «survalorisent» les employés qui **ont une pensée créative et des habiletés de résolution de problèmes.** *Sixièmement,* les employés doivent avoir des habiletés de gestion de soi. Ils doivent être **capables de se donner des objectifs personnels et être motivés à les atteindre.** Ils doivent avoir une idée **d'où ils vont dans leur carrière.** *Septièmement,* les nouveaux employés doivent être capables de **travailler efficacement en groupe.** Les habiletés interpersonnelles sont une composante critique du travail d'équipe. L'incapacité à s'entendre avec les autres est une des principales raisons du renvoi de certains employés. À l'école Apollo, nous avons amorcé des échanges sur la manière dont nous pourrions mettre en place des pratiques scolaires qui pourraient développer et démontrer les compétences des élèves sur ces sept habiletés ou caractéristiques. Les élèves ont compris qu'ils auraient de meilleures chances d'obtenir un emploi s'ils maîtrisaient ces habiletés et pouvaient les démontrer.

Quelques enseignants d'anglais de Tyler (Texas) ont élaboré un programme scolaire pour les élèves qui désiraient augmenter leurs compétences pour l'entrée à l'université ou au collège. Le programme, qui reçoit environ quatre-vingt-dix élèves par année, met l'accent sur les habiletés nécessaires pour réussir l'examen d'admission, tel le SAT, et pour obtenir de meilleurs résultats. Le nombre d'élèves entrant à des collèges tels que Harvard, Princeton, Duke, Rice, MIT, UCLA et à l'Air Force Academy a augmenté. L'augmentation de la moyenne au test SAT, pour ce groupe, fut de plus de 100 points. Avant que le programme ne commence, environ 4 % des élèves étaient acceptés au collège, mais 21 % l'atteignirent après l'avoir suivi. La clé de ce résultat impressionnant est l'effort consenti par les élèves quand ils ont reconnu et accepté l'objectif clairement défini d'entrer au collège, ce qui a rendu les nombreuses activités d'apprentissage très signifiantes.

Laissez-moi maintenant vous décrire quelques exemples particuliers d'activités d'apprentissage de qualité. Ce ne sont là que quelques-unes de celles que je pourrais vous raconter. Je suis sûr que vous pouvez aussi bien que moi en tirer plusieurs de votre propre expérience. Elles ont des traits communs: matériel signifiant, habiletés utiles, participation active des élèves. Ce sont toutes là des activités de type «fais-moi faire».

Afin d'améliorer leurs habiletés à écrire, une enseignante de l'école Apollo a demandé à ses élèves d'écrire trois lettres: une lettre personnelle à une personne de leur choix, une lettre de présentation qui devait être essentiellement un curriculum vitæ d'une page et une lettre argumentative sur un sujet de leur choix, sur lequel ils voulaient amener les autres à adopter leur point de vue. Au fur et à mesure que les élèves écrivaient leurs lettres, les évaluaient et y apportaient des améliorations, ils commencèrent à se rendre compte que meilleure serait la qualité de leurs lettres, meilleures seraient leurs chances de réussir le test final, lequel n'était pas de forme traditionnelle. En effet, pour passer le test de la lettre personnelle, l'élève devait recevoir une réponse à sa lettre, l'école ayant assumé les frais d'expédition. Pour passer le test du curriculum vitæ, l'élève devait montrer sa lettre à un employeur de la communauté, lequel vérifiait si elle était satisfaisante. Quant à la lettre argumentative, elle devait être publiée. À écrire et à récrire leurs lettres, les élèves améliorèrent leurs compétences à l'écrit. Par la suite, ils passèrent à l'écriture de courtes histoires.

Un autre exemple. Pendant la campagne électorale Clinton-Bush, un enseignant en sciences sociales apporta, sur bande vidéo, des films de sondages faits par CNN, NBC et CBS, et rechercha avec les élèves comment les sondeurs s'y prennent pour découvrir ce que les divers voteurs pensent avant que ceux-ci n'aillent voter. L'enseignant proposa aux élèves de tenir leur propre sondage. Par groupes de cinq, ils préparèrent dix questions sur lesquelles ils firent consensus et avec lesquelles chacun devait interroger vingt-cinq personnes de son entourage. Chaque groupe fit son sondage et présenta son rapport à la classe. Ils furent surpris de constater que moins de 50 % des personnes interviewées avaient l'intention de voter. La plupart des élèves savaient qu'il faut avoir dix-huit ans pour voter, mais il s'avéra qu'une seule des neuf personnes de dix-huit ans de la classe s'était inscrite pour le faire. Celle-ci expliqua au reste de la classe comment faire. Alors, l'enseignant fit venir en classe une personne responsable de l'enregistrement des voteurs pour que les élèves qui souhaitaient voter aux prochaines élections puissent s'inscrire et pour leur expliquer comment il est possible de voter par anticipation s'ils prévoyaient être à l'extérieur de la ville le jour du vote. Par la suite, quelques élèves retournèrent voir certaines personnes qu'ils avaient interrogées et qui ne devaient pas aller voter; ils leur expliquèrent ce qu'ils avaient appris à propos de l'enregistrement et du vote par anticipation. À la suite de ces nouvelles informations, la moitié de ces personnes, qui originellement n'avaient pas l'intention d'aller voter, changèrent d'idée.

Plusieurs élèves qui étaient engagés comme tuteurs dans une école primaire, tout en étant inscrits à un cours de travail du bois à l'école Apollo, furent sollicités par leur enseignant-superviseur du primaire pour construire des maisons-jouets pour les élèves de la maternelle et de la première année. Ainsi, ceux-ci pourraient apporter des cartons de lait et des boîtes de céréales vides, et différents autres objets pour étaler leur marchandise et faire semblant de tenir une épicerie ou d'exploiter un bureau de poste.

Les élèves questionnèrent leurs «clients» pour savoir ce qu'ils voulaient dans leurs maisonnettes et en préparèrent les plans. Ils apprirent à mesurer, à faire des plans et à les réaliser. Ils pratiquèrent plusieurs techniques de construction. Par le travail en équipe, ils apprirent à coopérer. En auto-évaluant continuellement leur produit, ils construisirent des maisonnettes d'excellente qualité. Certaines étaient à l'épreuve de l'eau afin de pouvoir être utilisées à l'extérieur. Certaines avaient des volets, des moustiquaires, des portes, des fenêtres. Les élèves développèrent une grande fierté pour le travail bien fait.

À l'école secondaire Washougal, à Washougal (Washington), on exigea, pour l'obtention du diplôme, que chaque élève réalise un projet de recherche écrit sous le «mentorat» de quelqu'un de l'école ou de la communauté et qu'il présente ce projet à un groupe de discussion formé de gens de l'école ou de la communauté. Les élèves choisirent les projets et les conseillers avec lesquels ils travailleraient. Ils devaient faire appel à un maximum de cinq ressources, auto-évaluer leurs progrès, réviser et améliorer leur travail jusqu'à ce qu'ils se sentent prêts pour la présentation finale. Certains projets parlaient de la construction d'un bateau en fibre de verre, un projet portait sur la recherche et le sauvetage, un autre sur l'accompagnement d'un ingénieur pendant une semaine chez Boeing, à Seattle, un dernier sur la participation à un séminaire portant sur les habiletés de prise de décision. Les projets ont eu tellement d'effets positifs que les élèves moins avancés demandèrent à faire la même chose, en élaborant de petits projets afin de se préparer à leur projet de fin d'études.

Les cent vingt-cinq élèves d'un enseignant de l'école secondaire Robert E. Lee, à Tyler (Texas), travaillèrent en équipe avec les départements d'affaires et d'arts de l'école afin de publier un guide de 215 pages, intitulé *Down Country Roads*, contenant des essais, de courtes histoires, des poèmes et des illustrations de sites historiques locaux. Le projet offrait une myriade de possibilités d'apprentissage: recherche, interview, écriture, prise de décision, marketing et bien d'autres encore. *Down Country Roads* est un livre de qualité qui a été très en demande dans la communauté locale et dans l'ensemble de l'État.

Ce ne sont là que quelques exemples d'un travail de qualité que l'on peut voir dans les écoles quand les enseignants (et les autres) comprennent le niveau d'apprentissage de l'approche du «fais-moi faire».

Figure 2

Expérience et apprentissage

Triangle de l'apprentissage

Figure 3
La taxonomie de Bloom et l'école qualité

I. **CONNAISSANCE** = Reconnaissance de l'information

1. Définir	4. Étiqueter	7. Raconter
2. Lister	5. Enregistrer	8. Redire
3. Mémoriser	6. Répéter	9. Reporter

II. **COMPRÉHENSION** = Comprendre l'information

1. Décrire	4. Reporter	7. Reconnaître
2. Expliquer	5. Réviser	8. Discuter
3. Identifier	6. Exprimer	9. Localiser

III. **APPLICATION** = Utiliser les connaissances pour résoudre des problèmes

1. Démontrer	4. Illustrer	7. Interpréter
2. Pratiquer	5. Opérer	8. Interviewer
3. Appliquer	6. Traduire	9. Mettre en dramatique

IV. **ANALYSE** = Informations distinctes s'appliquant à des situations variées

1. Distinguer	4. Résoudre	7. Expérimenter
2. Comparer	5. Questionner	8. Débattre
3. Inventorier	6. Faire un diagramme	9. Différencier

V. **ÉVALUATION** = Jugements (par rapport à la pertinence et à l'utilité de...)

1. Sélectionner	4. Évaluer	7. Estimer
2. Juger	5. Assigner une valeur	8. Mesurer
3. Prédire	6. Mettre en ordre de priorité	9. Choisir

VI. **SYNTHÈSE** = Utiliser, dans la pratique, des informations pour augmenter la qualité d'une situation ou de la vie

1. Proposer	4. Planifier	7. Préparer
2. Prévoir	5. Composer	8. Assembler
3. Organiser	6. Classer	9. Formuler

Chapitre 3

D'une motivation externe
à une motivation interne

Nous traitons souvent les gens que nous supervisons comme si nous pouvions les forcer à faire ce que nous voulons. Une telle façon de voir — croire que nous pouvons ainsi forcer les gens à faire ce que nous voulons, même si eux ne veulent pas le faire — est une conception relevant de la théorie stimulus-réponse (S-R), qui présuppose l'efficacité de la motivation externe. Autrement dit, la théorie S-R prétend que les récompenses augmenteront la fréquence de certains comportements et que les punitions la réduiront. Un adepte de cette théorie de la motivation analyse un comportement comme ceci: la sonnerie du téléphone est le stimulus, la réponse est de prendre le téléphone et de dire «Allô». Essentiellement, cela revient à dire que quelque chose d'extérieur à vous contrôle vos comportements. Si c'était vrai, chaque fois que le téléphone sonne, vous seriez contraint d'y répondre. Mais chacun sait que ça ne fonctionne pas ainsi. Parfois, nous ne voulons parler à personne, alors nous laissons le téléphone sonner. Ou encore nous sommes occupés et nous laissons alors notre répondeur prendre le message. La croyance en la motivation externe est l'acceptation que notre comportement est déterminé par des facteurs et des événements extérieurs. Quand nous étions élèves, c'était la façon habituelle dont les enseignants se comportaient envers nous. C'est aussi la façon dont les administrateurs scolaires essaient habituellement de motiver le personnel enseignant.

Les gens qui adoptent ce style n'ont pas appris qu'il y a une autre façon de motiver les personnes, soit par une motivation interne. C'est ce que nous explique la théorie du contrôle. La seule façon qui nous permettra d'obtenir une école et des relations de qualité, ainsi que la coopération élèves-enseignants, enseignants-administrateurs, employeurs-employés, est de comprendre le processus de motivation interne. La théorie du contrôle nous montre que la motivation des personnes vient de l'intérieur et non pas de forces extérieures, telles les récompenses ou les punitions. Ce concept clé est sans aucun doute le nouveau paradigme le plus important à comprendre et à intégrer si l'on veut développer des organisations de qualité.

La théorie du contrôle telle que l'explique le Dr William Glasser nous apprend que tous nos comportements sont fondés sur cinq besoins fondamentaux innés, soit: **la survie, le plaisir, la liberté, l'amour ou l'appartenance et le pouvoir** (figure 4) et que notre comportement global est la meilleure façon d'agir que nous possédons pour répondre à un ou à plusieurs de ces besoins. Si nous voulons que les élèves aiment lire, cela n'arrivera que quand ils découvriront que lire est plaisant. Quand ils ont un choix à faire dans ce qu'ils peuvent lire, cela peut aussi répondre à leurs besoins de pouvoir et de liberté.

Dans beaucoup de nos écoles, nous semblons enseigner aux élèves à haïr la lecture. Comment cela se produit-il? Nous leur disons quoi lire et nous imposons des lectures qu'ils ne perçoivent pas comme une réponse à leurs besoins. S'ils refusent, nous les punissons pour leur manque de coopération. Souvent, nous utilisons des volumes qui effarouchent les élèves. Nous imposons de nombreuses lectures plutôt que de nous concentrer sur la qualité. Ce dilemme est expliqué dans l'excellent livre de Mary Leonhardt, *Parents Who Love Reading, Kids Who Don't* (1993). Quand nous mettons l'accent sur le fait qu'il est très agréable de lire quelque chose d'intéressant, cela satisfait mieux nos besoins de pouvoir, de plaisir et de liberté. Cela augmente la qualité de nos vies et nous entraîne dans les vrais apprentissages de la vie. Quand les éducateurs développeront des programmes qui s'occupent de qualité plutôt que de quantité, de façon que les élèves voient les études comme quelque chose d'utile pour le présent et le futur, parce que cela répond à un ou à plusieurs de leurs besoins fondamentaux, alors nous verrons les élèves produire le travail de qualité dont ils sont capables. Ce n'est pas très fréquent à l'école d'aujourd'hui.

La vieille conception de motivation externe S-R semble fonctionnelle dans les relations enseignants-élèves à deux conditions: ou l'élève est dépendant d'une récompense ou il a peur d'une punition. Cependant, une relation fondée sur la peur ou la dépendance ne peut durer, car elle détruit la qualité. Si les élèves ne veulent pas d'autocollants, d'étoiles, de points, de gâteries ou d'autres types de récompenses, ils résisteront à exécuter le travail. S'ils n'ont pas peur de rester après la classe, d'aller au bureau du directeur, d'être suspendus, qu'on appelle leurs parents, de perdre des points, ils ne coopéreront pas. De nos jours, beaucoup d'enseignants sont frustrés parce que plusieurs jeunes sont moins dépendants des récompenses et peu craintifs des punitions. Nos moyens de coercition sont assez souvent sans effet.

Nous nous plaçons nous-mêmes en position d'échec (récompenses-punitions) quand nous disons aux jeunes: «Faites *ceci*, et je vous donnerai *cela*.» Quand nous ajoutons un *cela* sur un *ceci*, nous diminuons la valeur du *ceci*. Les élèves se disent: «Ça ne doit pas valoir la peine d'être fait puisqu'ils sentent le besoin de m'offrir un pot-de-vin pour que je m'y mette.» Alors, ils commencent à percevoir que le *cela* est plus important que le *ceci*. Par exemple, si un enseignant promet à ses élèves que, lorsqu'ils auront lu chacun quatre livres (*ceci*), il leur paiera un dîner à la pizza (*cela*), le *cela* devient plus important que le *ceci*. Alors les élèves lisent en survol des volumes simplistes, écrits en gros caractères et ayant beaucoup d'images, pour se débarrasser rapidement de la tâche et avoir la récompense (pizza). Ils n'en tireront aucun profit, car ils sont beaucoup plus préoccupés par le *cela* que par le *ceci*. Dans une approche de qualité, le *ceci* (la lecture) est plus satisfaisant par lui-même, parce qu'il a été pensé en fonction de la réponse aux besoins fondamentaux grâce à son utilité.

Plus les enseignants utilisent souvent les récompenses comme moyen de motivation, plus les élèves semblent en avoir besoin souvent. On échange alors quelque chose qui a une valeur intrinsèque contre certains types de gâteries externes. Il faut se rappeler que, quand la pizza est mangée, la gâterie est aussi terminée, et le résultat est à peu près nul.

Quand nous récompensons les élèves pour obtenir qu'ils agissent, nous présumons qu'ils ne choisiront pas par eux-mêmes d'agir. Ainsi, nous sous-estimons et rendons non signifiant le processus d'apprentissage. Des douzaines d'études démontrent que les gens qui travaillent pour une récompense font un travail de plus piètre qualité que ceux qui ne sont pas récompensés pour le même travail. Quand nous utilisons les pots-de-vin, nous présumons que les élèves sont fondamentalement paresseux. À l'école Apollo, nous nous sommes rendu compte que, lorsque nous utilisions un tel procédé, les jeunes faisaient juste ce qui était nécessaire pour obtenir la récompense, sans plus. En plus, cette approche instaure la compétition plutôt que la coopération. La coopération amène la confiance, ouvre la communication et accroît la volonté de poser des questions ou de demander de l'aide. Voilà exactement ce que les récompenses et les punitions détruisent.

Est-ce que les récompenses peuvent fonctionner comme moyen de motivation? Oui! Mais elles ne motivent les gens qu'à obtenir la récompense, pas à travailler. *Si l'objectif est un travail de qualité, aucune récompense n'égalera l'efficacité de la réponse aux besoins fondamentaux, par l'acquisition de connaissances et par l'assurance que celles-ci accroîtront la qualité de vie actuelle et future.* Quand les jeunes perçoivent que ce que l'enseignant leur demande de faire est pertinent et utile aussi bien que satisfaisant, ils continuent de travailler par eux-mêmes, pendant la pause du midi, après la classe, et reviennent parfois même le soir. Les centres d'apprentissage de l'école Apollo sont ouverts deux soirs par semaine pour les élèves qui veulent avoir plus de temps pour réaliser leur travail. L'école secondaire Sierra Mountain, à Grass Valley (Californie), est ouverte quatre soirs par semaine, de 15 h à 20 h, pour les élèves qui veulent y travailler ou améliorer la qualité d'un travail dont ils ne sont pas satisfaits. C'est là une démonstration d'un apprentissage permanent et autodirigé.

Mark Lepper, dans son livre *The Hidden Costs of Reward* (1978), démontre que l'intérêt des élèves diminue de façon caractéristique quand ils travaillent pour une récompense, comparativement aux situations où ils ont le sentiment d'exécuter un travail qui en vaut la peine pour lui-même. Le Dr W. Edwards Deming, dans *The New Economics for Industry, Government, Education* (1993), dit que l'utilisation de la motivation externe (récompense et punition) est «le plus puissant inhibiteur de la qualité et de la productivité en Occident. Cela développe la peur, encourage la performance à court terme, annihile la planification à long terme, démolit le travail d'équipe, nourrit la rivalité et rend les gens amers.»

Quand nous créerons un sens de l'engagement et de la propriété, lequel engendre la fierté, alors nous verrons les élèves faire du travail de qualité grâce à une expérience d'apprentissage répondant à leurs besoins. Laissez-moi vous donner quelques exemples de travail de qualité produits par des élèves en réponse à leurs besoins fondamentaux et mettant en application les principes de motivation interne de la théorie du contrôle.

Après avoir lu des reportages à propos des dommages subis en Californie, à la suite du tremblement de terre de janvier 1994, les élèves d'un cours de sciences sociales d'une école du Texas décidèrent de faire quelque chose pour aider. Ils définirent quatre façons d'amasser de l'argent pour venir en aide à une école particulière du comté de Ventura à propos de laquelle ils avaient lu certaines informations. Ensemble, ils recueillirent plus de 2 000 $. Dans une lettre adressée à cette école, ils expliquèrent comment ils avaient amassé cet argent pour aider à remplacer le matériel perdu dans le tremblement de terre. Bien qu'ils ne se soient jamais rencontrés, les élèves de ces deux écoles continuèrent à correspondre. Aucune récompense extrinsèque ne fut nécessaire pour motiver les élèves texans, le besoin interne de se dépasser et d'aider les autres (amour-appartenance) a lancé le projet, et la façon dont l'enseignant leur a permis de le planifier et de le réaliser a satisfait leurs besoins internes de liberté, de pouvoir et de plaisir.

À l'école Apollo, des élèves vinrent se plaindre de la laideur d'un espace situé entre le bâtiment destiné à l'enseignement de la biologie et celui destiné à l'enseignement de la physique. Je leur ai demandé comment ils pourraient améliorer cette situation. En leur demandant ce qu'ils pourraient faire et en les laissant aller de l'avant avec leurs idées, j'ai pris en compte leur besoin de liberté. Ils imaginèrent alors que ce serait plus beau si ce coin de terrain était aménagé en jardin et ils en planifièrent la réalisation. En travaillant ensemble à créer ce jardin entre les deux bâtiments, en s'aidant et en coopérant, ils ont satisfait leurs besoins d'amour et d'appartenance. Le besoin de pouvoir fut aussi comblé par la reconnaissance qu'ils ont reçue. En effet, le personnel et les autres élèves leur dirent combien c'était beau, quel superbe travail ils avaient accompli. Et même si ce fut un travail difficile, ils eurent beaucoup de plaisir à planifier et à réaliser quelque chose de différent, hors de l'ordinaire. De plus, leur sens de la propriété et leur fierté suscitèrent chez eux la volonté d'entretenir ce jardin. Ils y ajoutèrent régulièrement des améliorations. Répondre à leurs besoins fondamentaux fut plus qu'une motivation satisfaisante. Personne n'eut à les soudoyer pour qu'ils fassent du beau travail.

De la même façon, quand un groupe de filles déplorèrent que leur local de repos était laid, je leur ai demandé: «Qu'est-ce que vous aimeriez faire à ce propos?» Elles décidèrent en groupe de nettoyer et de redécorer cette pièce. Le travail coopératif sur ce projet leur permit de répondre à leurs besoins de plaisir, de pouvoir, de liberté, d'amour et d'appartenance. Elles étaient fières de leur travail et elles ont pris grand soin de ce qu'elles avaient créé.

Pour une compréhension plus profonde de la théorie du contrôle et de la motivation interne, je vous recommande les livres suivants du Dr Glasser: *The Control Theory Manager* (1994) et *Control Theory in the Classroom* (1986); le livre de Perry Good: *In Pursuit of Happiness* (1987), livre très original sur les besoins fondamentaux; et le livre de Barnes Boffey: *Reinventing Yourself* (1993), spécialement le chapitre sur le comportement global. La compréhension de la théorie du contrôle est le fondement qui permettra de bâtir des relations de qualité dans votre école et d'éliminer ainsi la peur et la dépendance par une réponse aux besoins fondamentaux des élèves. Le sentiment de fierté et d'accomplissement se maintiendra aussi longtemps que ce que le travail de qualité a permis de créer. Voilà qui est beaucoup mieux que la motivation créée par une promesse de pizza, laquelle se termine dès que celle-ci est mangée. L'utilisation de la théorie du contrôle élimine le «faites *ceci*, et vous obtiendrez *cela*». Ce syndrome est une barrière au travail de qualité dans la plupart de nos écoles.

Figure 4

Besoins fondamentaux

1. Survie

    A) La nourriture
    B) L'habillement
    C) L'abri
    D) La sécurité

2. Amour et appartenance

    A) Le don et l'acceptation de l'amour
    B) Le soutien et l'amitié
    C) L'engagement et les liens
    D) L'acceptation et l'appréciation

3. Pouvoir

    A) La capacité et la réussite
    B) La compétence et l'influence
    C) La reconnaissance par soi-même et par les autres
    D) L'amélioration continue

4. Liberté

    A) La possibilité de penser et d'agir sans contrainte
    B) Le pouvoir de faire des choix et l'indépendance
    C) L'action par soi-même sans coercition
    D) L'autonomie et la liberté (choisir et assumer)

5. Plaisir

    A) Le plaisir et l'enjouement
    B) L'apprentissage et le rire
    C) Le jeu et la détente

Chapitre 4

D'une approche extrinsèque
à une approche intrinsèque

Une autre façon de saisir la théorie du contrôle est de comprendre le changement de paradigme nécessaire pour passer d'une conduite de notre vie sous l'influence des motivations externes à une conduite guidée par nos ressources internes. Au fur et à mesure que les élèves de l'école Apollo intégraient la théorie du contrôle (motivation interne) et abandonnaient la théorie stimulus-réponse (motivation externe), l'activité suivante fut stratégiquement la plus efficace pour les aider à définir et à intérioriser leur compréhension de ce phénomène.

Nous avons tracé au tableau un diagramme comme celui de la page suivante. À l'intérieur d'un cercle, nous avons écrit «**TOI**». Nous avons dit: «L'intérieur du cercle contient tes sentiments, tes pensées, tes attitudes, tes décisions, tes actions, ton succès et ta personnalité. À l'extérieur, il y a tes amis, tes parents, tes enseignants, ton argent, ta gang, ton travail à temps partiel, ton travail scolaire, tes activités, ta situation, ta drogue et ton alcool s'il y a lieu, la température...»

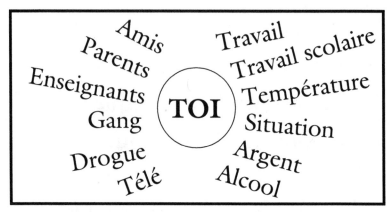

Nous avons alors posé ces neuf questions aux élèves:

1. Où se situe la responsabilité pour vos attitudes?
2. Où se situe la responsabilité pour vos actions et vos comportements?
3. Où se situe la responsabilité pour ce que vous ressentez?
4. Où se situe la responsabilité pour ce que vous apprenez ou non à l'école?
5. Où se situe la responsabilité pour toutes ces choses? À l'intérieur du cercle ou à l'extérieur?
6. Les autres vous obligent-ils à prendre de la drogue ou est-ce un choix que vous faites?
7. Quelqu'un d'autre peut-il vous forcer à occuper un travail à temps partiel pour avoir de l'argent ou est-ce votre choix?
8. Les autres contrôlent-ils le fait que vous soyez en colère ou blessé, ou est-ce quelque chose sur quoi vous avez du pouvoir? L'état dans lequel vous vous sentez dépend-il de vous ou est-ce les autres qui le contrôlent?

9. Si quelqu'un vous traite de perdants, cela veut-il dire que c'est vrai ou choisissez-vous de croire que c'est vrai?

Les élèves d'Apollo, de même que d'autres jeunes du primaire et du secondaire avec qui nous avons travaillé, nous répondirent que la responsabilité liée à ces éléments se retrouve à l'intérieur du cercle. Les autres personnes ne peuvent les bouleverser ou les faire se sentir inférieurs sans leur propre consentement.

Nous leur avons alors demandé: «Avez-vous déjà été à la plage, dans un parc ou en promenade et qu'il se mette à pleuvoir?» Beaucoup avaient vécu cette expérience. Nous avons ajouté: «Qu'est-ce qu'il est advenu de votre journée lorsqu'il s'est mis à pleuvoir?» Leurs réponses se ressemblaient: «La pluie a ruiné notre journée»; «La pluie est vraiment déplaisante lorsqu'on est à la plage»; «C'est à cause de la pluie si ma journée a été gâchée»; «J'ai pesté contre la pluie parce qu'elle m'avait fait perdre ma journée à la plage». Nous leur avons alors demandé: «Pendant que vous blâmiez et maudissiez la pluie, est-il possible que quelque part, pas très loin, quelqu'un d'autre rendait grâce pour cette même pluie?» Comme ils convenaient que cela était possible, nous avons ajouté: «Comment est-il possible que quelqu'un maudisse la pluie et que quelqu'un d'autre lui rende grâce? La pluie, c'est la pluie. Comment est-il possible que la même pluie rende, en même temps, l'un heureux et l'autre malheureux?»

Nous avons demandé aux élèves: «Peut-on situer la pluie à l'intérieur ou à l'extérieur du cercle?» Ils répondirent unanimement que c'était à l'extérieur. Nous avons repris chacun des éléments écrits à l'extérieur du cercle et avons refait le même processus. Nous avons découvert que, même si la responsabilité de leurs sentiments et de leurs attitudes leur appartenait (à l'intérieur du cercle), la plupart d'entre eux rendaient des éléments externes à ce cercle responsables pour leurs états d'âme, pour leurs attitudes, et aussi pour leur bonheur ou leur malheur.

La dernière question que nous avons explorée avec eux fut: «Quelqu'un d'entre vous a-t-il eu une journée minable cette semaine?» Plusieurs répondirent par l'affirmative et ils décrivirent pourquoi cette journée avait été si pénible. Voici les raisons données: «Mes parents n'écoutent jamais»; «Le professeur est injuste»; «Parfois mes amis me laissent tomber»; «Les choses n'allaient pas bien pour moi»; «Certains avaient toute la chance, alors que moi j'ai pris de la drogue la semaine dernière et j'ai eu des problèmes». Toutes ces choses se situaient à l'extérieur de leur cercle. Nous avons aussi demandé si quelqu'un de la classe avait eu une journée extraordinaire pendant que ceux-là avaient une journée pénible. Plusieurs nous dirent que oui et donnèrent les raisons qui en avaient fait une journée formidable. Nous nous sommes demandé ce qui fait que certains ont eu une journée exceptionnelle et d'autres, une journée minable. Qu'est-ce qui rend une journée formidable? Les choses extérieures à notre cercle ou l'attitude que nous adoptons à leur propos? Où se situe notre attitude, à l'intérieur ou à l'extérieur du cercle? À l'intérieur, bien sûr! Sur quoi pouvons-nous agir? Sur les éléments extérieurs ou sur l'attitude que nous adoptons à leur sujet?

Ils commencèrent alors à se rendre compte que nous ne pouvons agir que sur nos propres attitudes. Le bonheur n'est pas de posséder des biens, mais de se réjouir des biens que nous possédons. Ils se mirent aussi à comprendre que **le bonheur n'est pas de trouver le monde correct, mais**

d'être quelqu'un de correct. Ils prirent conscience que c'était une perte de temps et d'énergie que de blâmer et de tenir les éléments externes à notre cercle responsables de nos émotions. Enfin, ils découvrirent qu'il serait beaucoup plus efficace d'investir ce temps et cette énergie à maîtriser les éléments à l'intérieur du cercle.

Ils commencèrent à comprendre que l'approche S-R (stimulus-réponse) est une approche dont la dynamique crée un mouvement du dehors vers le dedans, tandis que la théorie du contrôle leur permet d'organiser leur vie à partir de l'intérieur d'eux-mêmes. Une vie ainsi pilotée accroît leur sens de **pouvoir** et les aide à répondre à leurs autres besoins fondamentaux: **le plaisir, la liberté, l'amour et l'appartenance.** Ils manifestent un sens des responsabilités et une maîtrise des événements accrus quand ils vivent selon l'approche où les décisions viennent de l'intérieur d'eux-mêmes. En vivant selon l'approche S-R, ils abandonnent leur responsabilité ou leur pouvoir d'agir à l'extérieur de leur cercle. Ils laissent alors les autres, les événements et la température déterminer et dominer leurs émotions. Les élèves voulurent prendre en charge leur propre vie en adoptant l'approche où le contrôle vient de l'intérieur de soi-même.

Pour les aider à aller plus loin, nous avons eu avec eux des échanges sur les approches clés qui suivent:

1. Je n'accepte dans mon cercle que ce en quoi je crois. Je pense que personne ne peut me faire sentir inférieur sans mon consentement. Ainsi, je deviens responsable de ma propre vie.

2. La différence n'est pas dans ce qui se produit, elle est dans mon attitude envers ce qui se produit et dans ma façon de laisser cela m'affecter. Est-ce que je laisse cela entrer ou non dans mon cercle?

3. Me laisser dominer par l'extérieur n'est pas très plaisant, car je donne ainsi aux autres la possibilité de déterminer ma vie et mes sentiments. La direction de ma vie est entre leurs mains. Comme Wayne Dyer le dit dans son volume *Pulling Your Own Strings* (1977), je laisse les autres manipuler mes ficelles, et puisque je les ai données aux autres, je peux les leur reprendre et les manipuler moi-même à partir de l'intérieur.

4. Le choix m'appartient. Je peux passer ma vie à réagir et à blâmer ce qui est à l'extérieur de mon cercle pour justifier mes émotions et continuer de dire que je ne suis pas responsable, que je suis sans pouvoir. Ou bien je peux prendre la responsabilité de ma vie et, s'il m'arrive des problèmes, je vais travailler à améliorer la situation plutôt que de chialer et d'être paralysé par eux.

5. Si quelqu'un m'injurie, il ne fait que dire son opinion. Si ce n'est pas vrai, je n'ai pas à agir comme si ce l'était.

6. Les autres ne font que me refléter l'image que j'ai déjà de moi-même, celle que je développe à l'intérieur de mon cercle.

7. Les autres ne sont pas responsables de mon bonheur et je ne suis pas responsable du leur. Le bonheur, c'est quelque chose qui émerge de ma propre personne quand ma vie est en harmonie avec mes valeurs et mes principes.

8. À mon contact, ceux qui entrent en relation avec ce qu'il y a dans mon cercle en sortiront marqués par ce que j'y mets. Par exemple, si j'ai de l'amour et de la compréhension envers moi-même, j'accorderai aux autres attention et compréhension.

9. Ceux qui réussissent bien s'alimentent d'amour et non de peur.

10. Je peux choisir d'être *réactif* en dirigeant ma vie en fonction de ce qui m'est extérieur, mais c'est bien mieux de choisir d'être *proactif* et de diriger ma vie à partir de moi-même, de ce qui m'est intérieur.

11. Le mauvais stress est causé par ce qui se passe entre mes deux oreilles, à l'intérieur de moi-même, dans ma façon d'interpréter les choses, et non par ce qui m'est extérieur.

12. L'auto-évaluation est très importante quand on décide de se brancher sur son intérieur. Quand je commence à me sentir mal à l'aise, je dois me demander: «Suis-je en train de diriger ma vie en me laissant influencer par ce qui m'est extérieur ou par ce qui m'est intérieur? Qu'est-ce que je peux faire pour rendre cette situation meilleure, plus agréable?»

13. Quand je fais abstraction de moi-même et des autres et que j'essaie d'apprendre à partir de mes erreurs, je peux améliorer la qualité de ma vie. Quand je blâme les autres, je ne vais nulle part, je ne fais aucun progrès.

14. Ma sécurité vient du fait que je vis selon mes valeurs et mes croyances. Quand je traite les autres comme je veux être traité, j'augmente mes chances que ceux-ci me le rendent en retour.

Au fur et à mesure que les gens comprennent la théorie du contrôle et adoptent une perspective de vie à partir de ce qu'ils sont intérieurement, ils acceptent aussi la responsabilité de leurs émotions et de leurs comportements. À l'école Dent Middle, en Caroline du Sud, un enseignant en éducation physique s'est fait un point d'honneur de s'assurer que ses élèves comprennent et intègrent la théorie du contrôle. En les groupant par trois pour travailler, il les engagea dans des situations de résolution de problèmes lors de discussions en classe. En l'espace d'un mois, les perturbations en classe ont diminué de 80 %, passant de 31 interruptions lors de la première semaine à 7 lors de la quatrième. Le temps initialement consacré à l'apprentissage de la théorie du contrôle fut largement compensé par le faible nombre de dérangements survenus pendant le reste de la session, ce qui signifie plus de temps pour une participation active.

Même les élèves difficiles peuvent intégrer les concepts de la théorie du contrôle. Chacun en bénéficie. Une enseignante en éducation spécialisée de l'école secondaire Newman Smith, à Carrollton (Texas), obtint de grands succès avec sa classe d'élèves de quatorze à dix-huit ans en difficulté d'apprentissage et perturbés sur le plan affectif. Ses élèves ont non seulement défini leurs règlements, mais également leurs mesures disciplinaires. Essentiellement, elle leur a donné le pouvoir de participer activement à trouver une solution au lieu de se contenter de les punir pour leurs mauvais comportements. Elle leur a aussi donné plus de responsabilités quant à leurs propres apprentissages et les a encouragés à auto-évaluer leur travail et à y apporter des améliorations. Pour vérifier combien son approche était fonctionnelle, elle a obtenu l'autorisation du directeur de l'école d'arriver un jour en classe trente minutes en retard. À son arrivée, elle a trouvé tous ses élèves au travail, responsables. La plupart lui ont juste souri et ont continué à travailler. Elle a répété l'expérience, et le résultat fut identique.

La dynamique de l'école a aussi changé au fur et à mesure que les enseignants changèrent leur façon de penser, passant de la conception stimulus-réponse à celle de la théorie du contrôle. Cela leur donna l'énergie de faire les changements, alors qu'au début ils s'étaient peut-être engagés en se plaignant de façon chronique et en faisant de la subversion silencieuse. Quand les enseignants de l'école Robert E. Lee, à Tyler (Texas), constatèrent la nécessité de réécrire la planification et de développer des stratégies d'enseignement (telles que le travail d'équipe, les études interdisciplinaires et les approches intégrées) pour rendre l'apprentissage plus significatif, ils décidèrent de rallonger la journée de classe pour pouvoir tenir une rencontre-échange permettant le travail en équipe. Cette initiative, conduite par les enseignants, trouva son aboutissement dans un nouvel horaire variable qui permit d'accomplir les tâches de réécriture de la planification tout en donnant aux élèves une période additionnelle pour poursuivre leur travail selon leurs intérêts particuliers.

Chapitre 5

Du travail individuel et de la compétition au travail d'équipe et à la coopération

Il y a fondamentalement trois façons d'atteindre un objectif: compétitivement, ce qui signifie que l'on travaille contre les autres; solitairement, ce qui signifie que l'on travaille sans s'occuper des autres; et coopérativement, ce qui signifie que l'on travaille avec les autres. Le travail solitaire et la compétition représentaient au moins 75 % des méthodes de travail à l'école Apollo avant que nous nous engagions dans le processus menant à la réification du concept d'école qualité. La plupart des élèves travaillaient individuellement et compétitionnaient les uns contre les autres pour obtenir les meilleures notes.

La compétition crée des gagnants et des perdants. Cela tue la créativité, cause des tensions et augmente le niveau de la méfiance et de la tromperie. À l'école, cela détériore la qualité de l'apprentissage et de la performance. Les élèves accordent plus d'importance à la victoire qu'à l'apprentissage et qu'au travail de qualité. La compétition donne place à la tricherie et à la victoire à tout prix. Les élèves qui se voient dans l'impossibilité de gagner se découragent. Les personnes compétitives se mesurent constamment aux autres, même si le contexte ne s'y prête pas. [Si vous souhaitez en connaître davantage sur les aspects négatifs de la compétition, vous pouvez lire l'ouvrage *No Contest: The Case Against Competition* (1987), d'Alfie Kohn.]

La compétition signifie simplement que quelqu'un travaille à l'atteinte d'un objectif de telle façon qu'il empêche les autres d'atteindre les leurs. Cependant, la réussite ne doit pas nécessairement s'acquérir par une victoire sur les autres, tout comme l'échec ne signifie pas nécessairement perdre aux dépens des autres. L'être humain s'efforce d'atteindre des buts, mais c'est par des comportements appris que nous avons développé l'attitude de le faire avec les autres (la coopération) ou contre les autres (la compétition). Les activités d'apprentissage scolaire, les méthodes d'évaluation, les stratégies de résolution de problèmes reflètent la tendance dont nos pratiques sont porteuses, soit la compétition ou la coopération.

Une école qualité ne met pas l'accent sur le travail individuel et la compétition, mais accorde plutôt de l'importance au développement de la coopération et du travail d'équipe. Rappelez-vous ce que nous avons mentionné au chapitre 2: le travail d'équipe et la coopération sont deux des plus importantes habiletés que les directions du personnel recherchent chez leurs employés éventuels. Selon les gens d'affaires, les compétences essentielles dans le milieu du travail du XXIe siècle sont l'habileté personnelle à participer à un travail d'équipe, l'habileté à enseigner de nouvelles habiletés aux autres, l'habileté à négocier et la capacité de travailler avec des hommes et des femmes provenant de divers milieux de formation. Il y a actuellement plus de publications sur le travail d'équipe et l'apprentissage de la coopération que jamais auparavant. La recherche nous apprend que la coopération est l'une des meilleures façons de développer le travail de qualité. À l'école qualité, l'expérimentation du travail d'équipe est régulière et récurrente, car c'est là une qualité essentielle aux succès futurs des élèves.

Amener les jeunes à travailler individuellement est habituellement plus facile que de les faire travailler de façon productive et collective. Toutefois, cette approche du travail de groupe augmente leurs chances de satisfaire leurs besoins fondamentaux, comparativement au travail solitaire. Le besoin d'appartenance, spécialement, est mieux satisfait en groupe. Cependant, les besoins de reconnaissance et de plaisir peuvent aussi l'être. Ce style de travail permet aussi plus de liberté que le travail solitaire et silencieux. Un travail a plus de probabilités d'être de qualité quand il comble un ou plusieurs de ces besoins. David Johnson et ses collaborateurs, dans *Circles of Learning* (1984), démontrent que les personnes qui se sentent acceptées par les autres ressentent assez de sécurité pour explorer plus librement les problèmes, prendre des risques, jouer avec les différentes possibilités et profiter de l'auto-évaluation de leurs propres erreurs plutôt que de subir un climat où lesdites erreurs doivent être cachées si on ne veut pas être ridiculisé (c'est là le résultat habituel d'un environnement de compétition). Le travail d'équipe met l'accent sur «faire de son mieux» sans aucun intérêt à être meilleur que les autres.

Plusieurs esprits créatifs travaillant en collégialité seront plus productifs qu'un seul. Il y aura plus d'idées dès le départ, et cela engendrera d'autres idées de telle sorte que le résultat sera plus riche que si chacun travaille individuellement. La qualité des solutions et du travail augmente de façon significative quand les élèves forment une équipe. Voici une bonne définition de l'équipe: «Ensemble, chacun réussit mieux.»

Si un groupe comprend des élèves ayant des habiletés complémentaires et des forces compensatoires, l'habileté du groupe à accomplir une tâche surpassera l'habileté de n'importe lequel de ses membres, même le plus talentueux. La forme la plus simple du travail d'équipe ou de la coopération est celle où un élève en aide un autre. À l'école Westinghouse Vocational Technology de Brooklyn (New York), les élèves sont pairés pour s'entraider, s'enseigner et se soutenir mutuellement. Ainsi, les anciens servent de conseillers aux arrivants. Après avoir institué ces programmes où des élèves aident des élèves, la moyenne de l'abandon scolaire est passée de 18 % à moins de 7 %, et le nombre d'élèves échouant à leurs cours est passé de 27 % la première année à seulement 11 % à la fin de la deuxième.

On peut inventer une grande variété de projets de classe qui tirent avantage du travail d'équipe et de la coopération tant par leurs aspects créateurs que par leur démarche d'exécution. À l'école secondaire Bear River, à Grass Valley (Californie), les enseignants d'études sociales choisissent un sujet, par exemple la Renaissance, ainsi que les domaines à explorer, tels les arts, l'histoire, la science, l'anglais ou les arts de la scène. En petits groupes, les élèves trouvent des idées relatives aux projets selon ces différents domaines. Ensuite, les groupes choisissent un projet à réaliser dans chacun de ceux-ci. Ce projet devra démontrer leur compréhension de la Renaissance. Pour les sciences, par exemple, ils pourraient construire et expliquer comment fonctionne une catapulte. Pour l'anglais et les arts de la scène, ils pourraient écrire et présenter une courte pièce décrivant cette période de l'histoire. Les possibilités sont nombreuses. L'enthousiasme à réaliser leurs propres projets est élevé, tout comme la qualité des réalisations.

Grâce à une planification soignée et à une vision suffisante, quelques projets coopératifs dépassent même les attentes des enseignants. Des enseignantes de troisième année de l'école primaire E. L. Kent, à Carrollton (Texas), ont mis en action une idée offrant à leurs élèves une expérience de la qualité par l'apprentissage d'habiletés en écriture, en comptabilité, en mathématique, en production orale, en production vidéo, en économie et en histoire, en planification et en auto-évaluation. Au cours de l'année scolaire, les élèves ont créé le *Blue Bonnet Café* en partenariat avec les parents et divers groupes de gens d'affaires. Les élèves ont écrit des descriptions d'emploi pour le café. Ils ont préparé les commandes d'approvisionnement de la cuisine et prévu leur système de comptabilité. Ils ont ouvert un compte courant à une banque locale. Et comme ils ont fait des profits, ils ont aussi ouvert un compte d'épargne qui leur permettra d'avoir un capital initial l'année suivante. En collaboration avec une maison d'affaires locale, les élèves ont préparé de la publicité. Ils ont ainsi développé des habiletés de production vidéo aussi bien que de présentation. Les élèves évaluaient constamment ce qui fonctionnait bien, ce qui avait besoin d'être amélioré et les façons dont ces améliorations pourraient se faire. Ils ont tenu des sessions de planification et ont continuellement amélioré la qualité du service, de la nourriture et des opérations du *Blue Bonnet Café*. L'an prochain, les nouveaux élèves de troisième année assumeront l'exploitation du café et pourront ainsi bénéficier de cette expérience de qualité.

Ce dont on a besoin pour passer du travail individuel au travail d'équipe est de savoir comment déterminer qui fera partie de chaque groupe. Une pratique courante est de donner un numéro à chaque élève. On peut, par exemple, attribuer un chiffre de 1 à 4 à chacun d'entre eux et ensuite former un groupe avec les 1, un autre avec les 2, etc. Les résultats d'une telle pratique sont cependant très inégaux et imprévisibles. Une telle démarche est aléatoire et ne permet pas de tirer le meilleur parti des richesses d'une équipe. Cette façon de faire ne tient pas compte des styles d'apprentissage des jeunes, de leur tempérament ou de leur compatibilité. Quelques groupes fontionnent bien ensemble et d'autres, non.

À l'école Apollo, nous avons contourné cette difficulté en commençant par identifier le style d'apprentissage des élèves. Les équipes furent composées d'élèves de chacun des styles d'apprentissage plutôt que de jeunes de même style. En effet, chaque style a ses forces, et en les combinant nous avons augmenté la qualité des productions de chaque équipe. Ainsi, les élèves qui ont fabriqué les maisonnettes pour une école primaire étaient placés en équipes de cinq personnes, dont au moins une de chaque style d'apprentissage. Une équipe était chargée des fondations, une autre, des toits, une troisième, des plans intérieurs et une dernière, des plans extérieurs. Tous travaillèrent ensemble, utilisant les forces de chacun des styles d'apprentissage pour créer un produit de qualité, une maisonnette.

C'est un défi que d'identifier les styles de tous les élèves d'une classe. Cependant, il existe de bons outils. À l'école Apollo, nous avons utilisé un programme appelé *True Colors*. Fondé sur l'outil d'évaluation des styles d'apprentissage Myers-Briggs et combiné au test sur les styles de tempérament Kersay, ce programme permet d'identifier quatre styles d'apprentissage de base qui sont représentés par différentes couleurs. On distribue à chaque élève des cartes représentant les quatre styles et, par un processus en cinq étapes, chacun découvre sa couleur dominante, nuancée par les autres couleurs selon leur niveau de prédominance. Il existe un autre outil intéressant pour identifier les styles d'apprentissage, le programme «Petals». Ce programme identifie également quatre styles d'apprentissage représentés par des couleurs. Il permet aux élèves de l'enseignement secondaire de découvrir leur style privilégié en remplissant un questionnaire en quinze points. Il existe aussi d'autres types de questionnaires pour les plus jeunes où les parents et les enseignants peuvent écrire les réponses pour les élèves incapables de le faire. L'identification des styles d'apprentissage ne facilite pas seulement le regroupement des élèves en équipes de coopération, elle permet aussi aux enseignants de modifier leurs stratégies d'enseignement selon les besoins des élèves. Les enseignants de qualité savent que, si les élèves n'apprennent pas dans le style dans lequel eux enseignent, ils devront enseigner dans le style dans lequel ceux-ci apprennent.

Quand les enseignants évaluent le travail d'un élève en le comparant aux travaux des autres, ils favorisent la compétition plutôt que la coopération. L'une des pratiques les plus néfastes que les enseignants utilisent est la distribution des notes sur une courbe (Gauss). Par cette méthode, quelques élèves obtiennent un A ou un F, et la majorité reçoivent un B, un C ou un D. Peu importe la performance de la classe, il y a toujours quelques élèves qui ont un A et quelques autres qui échouent. De plus, dans une telle façon de procéder, la comparaison se fait entre les élèves et non pas en fonction de la recherche d'excellence. La distribution sur une courbe de ce genre contraint à la compétition. La seule façon d'obtenir une note élevée est de «battre» chacun des autres. Dans une école qualité, on ne distribue pas les notes de cette façon. La qualité est la seule norme sur laquelle on se fonde pour juger le travail de l'élève. Si tous ceux-ci font un travail de qualité, ils reçoivent tous une note élevée.

Quelques écoles, le plus souvent au primaire, ne se servent pas de lettres ni de notes pour évaluer les élèves, mais donnent plutôt des commentaires relativement nombreux sur les forces de l'enfant, ses faiblesses et son progrès dans différents domaines. Ou bien, comme le firent les enseignants de l'école Kate Sullivan, à Tallahassee (Floride), on remplace le bulletin traditionnel par un portfolio qui contient des exemples des travaux de l'élève. Ce dernier et son enseignant choisissent les travaux qui démontrent le mieux la qualité de travail qu'il peut faire.

Un enseignant de physique d'Edina (Minnesota) a tenu des discussions avec ses élèves sur les conséquences de l'utilisation du système de notes habituel. Comme résultat de leurs échanges, ensemble ils ont décidé d'adopter un système «passe/ne passe pas», plus en accord avec les valeurs qu'ils veulent développer. Cet enseignant a aussi mis au point une forme d'auto-évaluation par laquelle l'élève décrit ce qu'il a fait, ce qu'il a appris, combien de temps et d'effort il y a mis, comment il se sent vis-à-vis de son travail et comment il pourrait l'améliorer. Ensuite, l'enseignant y ajoute ses commentaires et ses perceptions. L'étape finale consiste, pour l'élève, à expliquer ce processus à ses parents, à partager avec eux cette évaluation et à leur donner l'occasion d'ajouter leurs propres commentaires. Cette approche a éliminé beaucoup de compétition entre les élèves et les a encouragés à une plus grande coopération. La réaction fut si bonne que, sur 130 élèves dans ces classes de sciences, seulement 10 d'entre eux ont vu leurs parents insister pour recevoir une note.

Un autre avantage du travail d'équipe et de la coopération est que les chances de bien identifier et de bien traiter les causes des problèmes sont plus grandes grâce au travail de groupe. La motivation à respecter la solution retenue est aussi beaucoup plus grande. La qualité des solutions est significativement plus élevée quand ce sont des personnes du groupe qui les élaborent ensemble.

Pour résoudre les problèmes rencontrés, le personnel enseignant de l'école Apollo tient une courte rencontre en grand groupe pour cerner le problème. Alors, le groupe se sépare en équipes de sept enseignants comprenant au moins un enseignant de chacun des styles d'apprentissage. Ces équipes se rencontrent pendant quarante-cinq minutes à l'endroit de leur choix sur le campus. Ensuite, toutes les équipes retournent partager leurs hypothèses de solution avec les autres. Cette démarche génère des solutions plus satisfaisantes, un plus grand engagement, et améliore la qualité de la coopération. Par ce procédé, le taux d'efficacité des rencontres du personnel est passé de 5,0 à 8,5 sur une échelle de 1 à 10 (10 étant l'excellence).

Un effort de coopération des élèves et des enseignants de l'école primaire Brady, à Chesaning (Michigan), a résolu un vieux problème concernant la discipline à l'heure du dîner ainsi qu'un problème de comportement pendant la récréation. Plutôt que de renforcer les règlements et d'augmenter la sévérité des sanctions, le groupe a décidé de transformer complètement le fonctionnement à l'heure du midi. Originairement, les 240 élèves prenaient leur repas au gymnase pour ensuite aller dehors pratiquer des jeux libres. Avec le nouveau plan, les élèves prennent leur repas en classe avec leur enseignant. Après ce repas, ils participent au «temps du choix» d'une durée de trente minutes. En arrivant le matin, les élèves s'inscrivent à l'une des activités offertes. Ce peut être le volley-ball, le modelage, la lecture, des jeux de société, l'ordinateur, les Lego, etc. Ces activités sont supervisées par du personnel de soutien, des moniteurs et des parents. Chacun apprécie le fait de manger dans les classes parce que c'est plus calme et que ça permet aux enseignants d'avoir des conversations personnelles avec leurs élèves. Pendant le «temps du choix», les élèves apprennent et développent des habiletés sociales, tandis que les enseignants sont libres et peuvent passer quelque temps ensemble.

Chapitre 6

D'une gestion de patron
à une gestion de leader

Dans une école qualité, les administrateurs et les enseignants doivent participer à la gestion. Ils doivent persuader les élèves que de travailler fort, de produire un travail de qualité et de suivre la planification des enseignants leur permettra, en bout de ligne, d'ajouter de la qualité dans leur vie aussi bien que dans celle des autres. Toutefois, les administrateurs et les enseignants doivent comprendre la différence fondamentale entre «être le patron» et «être le leader». **Les écoles qualité sont dirigées par des gestionnaires leaders.**

Le gestionnaire patron se comporte en arbitre, en policier et en dictateur. Il utilise la coercition et compte sur les récompenses ou les punitions (motivation externe, S-R) pour essayer d'astreindre les gens à faire ce que lui veut qu'ils fassent. Le gestionnaire leader, quant à lui, joue le rôle de facilitateur, d'entraîneur. Il est enthousiaste, encourage les gens et favorise constamment l'amélioration de la qualité. Il aide les employés à satisfaire leurs besoins fondamentaux (motivation interne), car il sait que la vraie motivation doit être intrinsèque. Le leader travaille à identifier les causes et à agir sur elles de façon que les problèmes de comportement disparaissent. À l'école, les gestionnaires et les enseignants doivent tous agir à titre de leaders. Les administrateurs essaieront d'entraîner les enseignants à développer la qualité, alors que ceux-ci, en retour, essaieront d'y entraîner les élèves. Ces derniers aussi tirent profit de l'apprentissage du leadership. À l'école Oak Meadow, à San Antonio (Texas), on a mis sur pied un programme complet de formation au leadership pour les élèves de cinquième et de sixième année, appuyé d'un impressionnant manuel de formation fondé sur les principes de gestion du leader décrits par Stephen R. Covey dans *The Seven Habits of Highly Effective People* (1989).

Le tableau de la figure 5 met en évidence les différences de plusieurs caractéristiques des gestionnaires patrons et des gestionnaires leaders. Cette liste n'est pas exhaustive, et l'on pourrait sûrement y ajouter d'autres caractéristiques importantes des gestionnaires leaders. Les leaders écoutent attentivement et acceptent les idées des autres. Ils communiquent efficacement et amènent les autres à partager leur vision. Ils sont enthousiastes, énergiques, dignes de confiance et structurés quoique souples. Tout en ayant en vue leur but, ils prévoient les conséquences. Ils ont une vision positive de la vie. Ils s'attaquent aux problèmes et acceptent spontanément les défis. Ils se développent à leur plus haut potentiel.

Les leaders traitent chacun avec respect et dignité. Ils sont des modèles pour les autres. Ils sont disponibles et présents aux autres. Ils font confiance à tous leurs collègues. Les leaders restent loyaux envers ceux qu'ils dirigent et respectent la vision commune. Ils encouragent la cohésion et la fierté dans le groupe. Tout en développant le sens de l'engagement et de la propriété, ils cultivent cette fierté qui pousse les gens à produire un travail de la meilleure qualité possible.

Les leaders savent que les problèmes sont presque toujours attribuables à des carences du système, non à celles des personnes. Par conséquent, ils consacrent leur temps et leur énergie à identifier ces carences. Lorsqu'ils rencontrent un problème, ils ne demandent pas: «Qui en est responsable?» Ils demandent plutôt: «Quel est le problème et comment pouvons-nous le résoudre?» Ils donnent du pouvoir aux élèves et aux enseignants de telle façon que ceux-ci deviennent une partie de la solution plutôt que de les blâmer parce qu'ils sont une partie du problème. Ils insistent sur la qualité, chacun en étant responsable, à commencer par eux-mêmes. Ils établissent des méthodes d'évaluation efficaces qui portent à la fois sur l'action et sur les techniques d'auto-évaluation. Ils maintiennent une conscience élevée de l'amélioration continue. Ils sont des entraîneurs actifs. Les leaders considèrent les personnes comme leurs plus importantes ressources et ils consacrent beaucoup de leur temps et de leur énergie à travailler avec elles, comparativement aux patrons qui, eux, passent beaucoup de temps à travailler avec des choses.

Au cours des trente dernières années, la recherche nous a permis de valider les avantages des techniques de gestion par leadership et ce, autant en industrie qu'en éducation. Quand les gestionnaires et les travailleurs partagent le processus de prise de décision, se respectent, se font confiance et établissent des relations interpersonnelles saines, alors l'éthique, la productivité et la satisfaction au travail s'accroissent. La résolution de problèmes en équipe prend du temps, mais son efficacité en vaut vraiment le coût. Permettez-moi de vous citer quelques exemples de ce qui peut arriver quand les écoles passent d'une gestion de patron à une gestion de leader.

À mes débuts, j'avais tendance à être un gestionnaire patron. Par exemple, chaque fois que des élèves étaient pris en état de consommation de drogue ou d'alcool, je les suspendais immédiatement, et parfois même j'allais jusqu'à l'expulsion. Je traitais le symptôme, non la cause. Quand j'ai demandé aux élèves ce qu'ils faisaient lorsqu'ils étaient suspendus, la plupart d'entre eux m'ont dit qu'ils se tenaient dans des endroits non surveillés et qu'ils consommaient encore plus de drogue, car ils se sentaient mal de s'être fait prendre. Ils me dirent aussi de façon évidente que, pour quelqu'un qui disait vouloir le meilleur pour eux, je ne me préoccupais pas beaucoup d'eux. Punir les gens ne permet pas de développer des comportements plus efficaces. Cela contribue à ériger des barrières et à creuser des fossés. Les punitions ne permettent pas l'éclosion de relations de qualité telles que nous les souhaitons dans les écoles qualité.

Après que j'eus appris les principes de la gestion par leadership, nous avons développé, à l'école Apollo, une nouvelle façon d'agir avec les élèves qui avaient des problèmes de consommation de drogue ou d'alcool. Nous avons créé un groupe de soutien, le Programme d'aide à l'élève, pour que les élèves puissent se rencontrer et échanger de façon régulière avec d'autres jeunes ayant des problèmes similaires. Ce programme a été élaboré de façon identique à celui du programme en douze étapes des AA. En effet, ce programme est l'un des plus efficaces pour les personnes ayant des problèmes de dépendance. Ainsi, chaque élève fut jumelé à un copain faisant partie du groupe. Chacun d'eux pouvait appeler son copain s'il ou si elle voulait de l'aide pour passer un moment difficile ou pour éviter de s'adonner à sa dépendance destructive. On invita des personnes de l'extérieur pour parler avec le groupe sur la façon dont elles se sont sorties de leur problème de drogue ou d'alcool et pour répondre aux questions des jeunes. Le groupe, animé par un enseignant, pouvait discuter ouvertement et honnêtement parce que la confiance et le respect mutuel s'étaient établis parmi les membres. Les élèves commencèrent à se rendre compte qu'ils avaient le pouvoir de choisir de consommer de la drogue ou de l'alcool, ou encore de faire un choix responsable (de chercher de l'aide pour agir efficacement), peu importe le type de difficultés rencontrées. Le Programme d'aide à l'élève a prouvé qu'il était une approche beaucoup plus efficace que celle de punir les jeunes, qui habituellement accentue le problème.

Comme patron, je disais simplement aux élèves qui s'étaient mal conduits: «Ceci est la règle. Tu l'as transgressée. Voilà la punition.» S'ils s'étaient battus, par exemple, je les suspendais pour trois jours. Je n'écoutais aucune des raisons pour lesquelles ils s'étaient battus. Comme le gestionnaire patron fait souvent, je citais l'élève puni en exemple aux autres: «Si tu fais la même chose, voilà ce que nous te ferons aussi.» À l'évidence, mon approche ne fonctionnait pas, car nous continuions à avoir plusieurs batailles chaque mois. Quand j'eus appris à devenir un leader, j'ai commencé à écouter les élèves. Je suis passé du traitement des symptômes à l'observation des causes, des raisons pour lesquelles les jeunes en arrivaient à trouver nécessaire de se battre. Quand ces causes furent identifiées et qu'on eut agi sur elles, ce problème de comportement disparut. Au cours de ma dernière année à l'école Apollo, il y eut une seule bataille.

Avant d'être initiés aux principes de gestion par leadership, les surveillants de la cour de récréation de l'école Colbert, à Mead (Washington), envoyaient de 40 à 50 élèves par semaine en retenue en raison de comportements inacceptables et de manquements aux règles. Après avoir développé des stratégies de gestion par leadership, ils décidèrent de remplacer la pièce de retenue par une «pièce de planification» où les élèves discuteraient des règles, des comportements, des conséquences et des stratégies de changement de comportements. Pour pouvoir retourner dans la cour de récréation, les élèves devaient préparer un plan qui les aiderait à être responsables. Huit semaines après l'implantation de la pièce de planification, le nombre de perturbations dans la cour de récréation et dans les corridors avaient considérablement diminué pour passer à seulement cinq ou six par semaine.

Durant mon ancienne vie de gestionnaire patron, j'avais écrit une déclaration de mission pour notre école, mais ma mission n'est jamais vraiment devenue la mission de la communauté scolaire. Les enseignants firent à peine un peu plus que ce qu'il fallait pour me démontrer qu'ils participaient quelque peu. Je peux dire qu'ils n'étaient pas vraiment engagés. Après que j'eus changé mon style de gestion, j'ai cessé d'essayer de rallier les enseignants à «ma cause». Je les ai plutôt fait participer à l'élaboration d'une nouvelle déclaration de mission pour l'école Apollo. Les enseignants et moi, nous nous sommes assis ensemble, pendant plusieurs longues rencontres, pour échanger sur ce que devraient être nos élèves à la fin de leurs études dans notre école. Quelles habiletés devraient-ils être capables de démontrer? Nous avons recouvert de papier trois murs d'une classe. L'un après l'autre, les enseignants listaient les habiletés qu'ils ou elles pensaient que nous devrions développer chez nos élèves et dont ceux-ci devraient pouvoir faire la démonstration une fois sortis de l'école. Quand le dernier enseignant eut fini, la liste comprenait plus de 150 habiletés. Je donnai alors, à chacun d'eux, 20 points autocollants et leur demandai de circuler, de lire chacune des propositions et de les évaluer. Je leur demandai ensuite de coller un point à côté des 20 habiletés qu'ils considéraient comme les plus importantes. À la fin, 28 d'entre elles émergeaient clairement. Nous nous sommes assis ensemble pour écrire une déclaration de mission qui incorporerait les ambitions que nous avions retenues en groupe. Cette déclaration de mission avait engagé tout le personnel enseignant, et celui-ci travailla avec acharnement en vue d'en faire une réalité. Il est certain que les enseignants ont été plus motivés à réaliser ce à quoi ils avaient participé qu'ils ne l'auraient été si on le leur avait imposé.

À l'école Kate Sullivan, à Tallahassee (Floride), l'élaboration de la déclaration de mission et le partage de cette vision n'ont pas engagé seulement le personnel enseignant et le directeur, mais aussi le personnel de soutien de même que du personnel de l'université et du district. Ils ont ainsi défini cinq valeurs clés qui guidèrent ensuite leurs efforts:

1. Les individus sont précieux.
2. Les enseignants sont des éducateurs professionnels.
3. Les parents sont des partenaires.
4. Les décisions se prennent ensemble.
5. Les enseignants sont membres d'une équipe.

Les valeurs 4 et 5 étaient cruciales pour créer l'engagement et l'obligation de développer la qualité. L'un des résultats de cette démarche fut que les enseignants cessèrent de se demander: «Que devrions-nous enseigner?» Ils se demandèrent plutôt: «Qu'est-ce qui vaut la peine d'être appris?» Le centre d'intérêt s'est déplacé des besoins des enseignants vers les besoins des élèves en même temps que les premiers devenaient autant gestionnaires qu'enseignants.

Quand j'étais encore un gestionnaire patron, la seule évaluation dont j'étais l'objet était celle que le directeur général adjoint effectuait chaque année. Mais j'ai commencé à constater que celui-ci était rarement à notre école, qu'il connaissait donc très peu de faits sur lesquels fonder son évaluation. En devenant un gestionnaire leader, je me suis posé des questions sur l'exactitude de son évaluation. Je me suis demandé si ma propre perception de ma façon de faire mon travail correspondait à celle de mon personnel. Indubitablement, celui-ci en connaissait plus sur la qualité du travail que je faisais que le directeur général adjoint. J'ai alors construit un formulaire d'évaluation sur lequel le personnel, de façon anonyme, pouvait me donner son appréciation. Quand il y avait des divergences dans nos perceptions, je reconnaissais que je devais travailler pour que le personnel me perçoive plus comme un leader que comme un patron. Quand nos perceptions correspondaient, cela confirmait que je faisais quelque chose de bien et que je devais continuer ainsi.

Dans le district de Kenmore (New York), le personnel enseignant mène une enquête régulièrement auprès des parents pour recueillir leurs réponses aux trois questions suivantes:

1. Êtes-vous satisfaits de l'éducation que reçoit votre enfant dans ce district?
2. Y a-t-il quelque chose qui vous indispose en relation avec le district?

3. Avez-vous des suggestions sur la façon d'améliorer la qualité dans nos écoles?

Au cours de rencontres régulières, le Comité directeur de la qualité, composé d'enseignants, de membres du personnel de soutien, d'élèves, de parents, de membres de la communauté et de gens d'affaires, tient compte des avis des parents, écoute les idées des uns et des autres, et suggère des pistes pour améliorer la qualité des écoles. Ce processus garantit que le système ne demeure pas stagnant. De plus, ces changements ont de bonnes probabilités de réussite, car ils sont mis en place sur une base très étendue.

En résumé, plus notre style de relation passera du «pouvoir sur» au «pouvoir avec», plus les enseignants seront efficaces dans leur enseignement et les élèves, dans leurs apprentissages.

Le gestionnaire leader est le catalyseur dans la création des écoles qualité.

Figure 5

Le gestionnaire PATRON

1. Juge les autres.
2. Blâme les gens
   pour les problèmes.
3. Dit: «Je ne suis pas aussi mauvais
   que beaucoup d'autres personnes.»
4. Contrôle.
5. Se considère et considère
   les autres comme acquis.
6. Cache les erreurs.
7. Dit: «Je ne fais que travailler ici.»
8. Demande.
9. Construit des murs.
10. Conduit ses gens.
11. S'appuie sur son autorité.
12. Inspire la crainte.
13. Dit: «Je».
14. Arrive à temps.
15. Se centre sur le coupable
    à la suite des erreurs.
16. Sait comment faire.
17. Dit: «Allez-y.»
18. Utilise les gens.
19. Regarde le présent.
20. Commande.
21. N'a jamais assez de temps.

22. Est préoccupé par les choses.
23. Traite les symptômes.
24. Fait savoir aux gens
    où il est rendu.
25. Fait les choses correctement.
26. Travail dur à la production.

27. Crée la peur.
28. S'attribue les mérites.
29. Cherche d'abord à être compris.
30. A une approche gagnant-perdant
    dans la résolution de conflits.

Le gestionnaire LEADER

1. Accepte les autres.
2. Cherche des solutions.

3. Dit: «Je suis bon, mais pas
   autant que je peux l'être.»
4. Entraîne.
5. S'apprécie et apprécie
   les autres.
6. Accepte les erreurs.
7. Fait plus que son travail.
8. Questionne.
9. Construit la communication.
10. Guide les gens qu'il dirige.
11. S'appuie sur la coopération.
12. Inspire l'enthousiasme.
13. Dit: «Nous».
14. Arrive avant le temps.
15. Se centre sur les erreurs.

16. Montre comment faire.
17. Dit: «Allons-y.»
18. Développe les gens.
19. Regarde le présent et le futur.
20. Est un modèle.
21. Prend le temps pour les choses
    qui comptent.

22. Est préoccupé par les personnes.
23. Identifie et traite les causes.
24. Fait savoir aux gens où ils sont
    rendus.
25. Fait les bonnes choses.
26. Travaille dur pour que les gens
    produisent.

27. Crée la confiance envers les autres.
28. Donne le mérite aux autres.
29. Cherche d'abord à comprendre.
30. A une approche gagnant-gagnant
    dans la résolution de problèmes.

Chapitre 7

De la peur à la confiance

Dans *Driving Fear Out of the Workplace* (1991), Kathleen Ryan parle des différentes peurs communes à beaucoup d'organisations. Parmi celles-ci, il y a la peur de parler ou d'échanger des idées par crainte de paraître ridicule ou d'être rejeté, la peur de participer parce qu'on peut être critiqué, ou encore la peur de prendre des risques et d'être créatif parce qu'on peut manquer son coup. Ces mêmes peurs sont aussi très florissantes dans nos écoles. La crainte de l'échec est particulièrement destructive. Thomas Edison aurait dit: «Je n'ai jamais connu l'échec. J'ai seulement trouvé beaucoup de façons dont les choses ne marchent pas.» Les éducateurs devraient adopter ce point de vue d'Edison.

Comme nous l'avons vu au chapitre précédent, la peur peut être atténuée par l'élimination de la coercition et par la recherche de la confiance. La création d'un environnement de qualité, où les gens peuvent donner le meilleur d'eux-mêmes, nécessite cette recherche constante du climat de confiance. Dans les écoles qualité où ce climat existe, les enseignants et les parents expriment ouvertement leurs pensées, leurs sentiments, leurs opinions et leurs inquiétudes. Cela augmente leur habileté à résoudre les problèmes rencontrés. Les participants à un processus de négociation efficace écoutent avec attention et respect. Ils se centrent sur les résultats et non sur la personnalité ou les opinions des autres. Ils recherchent des solutions plutôt que des boucs émissaires. Quand le niveau de confiance est bas, il y a un grand roulement de personnel, et les gens qui restent ont tendance à adopter l'attitude de «c'est assez bon comme ça» plutôt qu'une attitude d'amélioration continue.

Dans un atelier que je donne sur la création d'écoles qualité, je mets l'accent sur les cinq éléments sur lesquels se construit la confiance: la communication, la coopération, l'engagement, la responsabilité et la considération. Le développement de la confiance nécessite de l'effort, du temps et de la patience. Cependant, elle peut être détruite très facilement et rapidement. Les quatre comportements qui produisent cet effet sont: la critique, la comparaison, la récrimination et la compétition.

Dans son livre *The Seven Habits of Highly Effective People* (1990), Stephen R. Covey déclare que la confiance s'accroît lorsque nous nous préoccupons d'abord de comprendre plutôt que d'être compris. L'écoute amène la compréhension, laquelle est un fondement de la coopération et de l'amélioration des relations interpersonnelles. Quand nous écoutons activement ce que les autres ont à dire, il y a des chances que nous soyons aussi écoutés en retour.

Pour développer la confiance, nous devons faire connaître aux autres ce que nous valorisons, ce que nous souhaitons et ce que nous voulons. Se révéler et admettre ses propres erreurs augmentent aussi la confiance. Beaucoup de gens n'admettent pas leurs erreurs de peur de perdre leur pouvoir ou leur influence. Ils considèrent cela comme une faiblesse. L'expérience démontre cependant que de laisser percevoir aux autres sa dimension humaine augmente sa crédibilité. Un vrai leader transmet la confiance et réduit la peur quand il ou elle permet à ceux qui ont commis des erreurs ou échoué à une tâche de se reprendre. Comme Diane Gossen l'explique dans son livre *Restitution* (1993), l'auto-discipline des jeunes se développe quand le personnel scolaire traite les infractions par une incitation à réparer plutôt que par l'imposition d'une punition.

Les éléments qui suivent aident à construire la confiance. D'abord, nous devons laisser savoir aux autres ce que nous voulons ou ce que nous ne voulons pas faire. Alors, nous devons répondre à leurs attentes en assumant nos obligations et en tenant nos promesses. Nous devons déléguer des responsabilités et donner aux gens la possibilité de les mener à bien. Est-ce bien nécessaire de surveiller et de dominer les autres? Nous devons être convaincus de leur intégrité pour que s'établisse une relation de confiance.

Cette confiance envers les autres est bâtie sur la courtoisie, la gentillesse, l'honnêteté et l'ouverture. La confiance s'accroît aussi quand les enseignants règlent directement leurs problèmes plutôt que d'envoyer les élèves au bureau de la direction. À l'école primaire Plainfield, à Saginaw (Michigan), le directeur et les autres membres du personnel assurent le remplacement en classe quand l'enseignant a besoin d'une rencontre personnelle avec un élève pour régler un problème de comportement. Lorsque les enseignants sont spécifiquement formés en communication et en relation-conseil comme ils le sont à l'école secondaire de Wheatland (Wyoming) et à l'école Ingram (Texas), ils règlent les problèmes directement avec les élèves, par eux-mêmes, plutôt que de les diriger vers quelqu'un d'autre. Cette pratique diminue le nombre d'exclusions et de suspensions, ce qui libère les conseillers et le directeur, et leur permet de se concentrer sur leurs autres responsabilités. La sensibilité aux besoins des autres, l'intérêt, l'appréciation et le respect que l'on témoigne pour le point de vue de l'autre aident aussi à développer la confiance. Celle-ci apparaît également quand la réussite des autres nous rend fiers et heureux. Enfin, si nous démontrons notre acceptation de l'autre, il y a de fortes chances qu'il nous accepte aussi.

Le choix de faire confiance requiert une perception particulière, soit celle que les autres ont à cœur notre intérêt personnel. Cette perception consiste à croire que les autres veulent nous aider, non nous blesser ni nous blâmer. Quand une personne perçoit la critique et le rejet, elle perd confiance. La confiance s'accroît quand on se sent à l'abri et en sécurité, quand nos pensées et nos idées ne sont pas ridiculisées. Pour garder la confiance, on doit être loyal envers ceux qui sont absents. Ainsi, quand quelqu'un critique une personne absente, on peut craindre que, quand nous ne serons pas là, il pourra arriver que nous devenions la cible de ses critiques. Parler dans le dos des gens détruit la confiance. L'acceptation réduit l'anxiété et la peur d'être vulnérable. Accepter l'autre sans critique et sans jugement est important dans l'élaboration de la confiance, et cela commence par l'acceptation de soi.

La confiance augmente quand les gens commencent à s'auto-évaluer plutôt que d'être évalués par les autres. Le fait d'appuyer les autres, de les aider à se sentir capables et forts contribue aussi à établir un sentiment de confiance. Utiliser son temps et son énergie à aider les autres à faire les choses correctement est beaucoup plus productif et satisfaisant que de dénoncer leurs erreurs. Chercher des voies pour que les idées se concrétisent, plutôt que les raisons pour lesquelles elles ne fonctionneront pas, crée la motivation à prendre des risques, ce qui multiplie nos chances d'expérimenter la qualité.

Rappeler leurs faiblesses aux gens ou alimenter la rancune pour des actions passées contribuent très peu au développement de relations et de productions de qualité. Le système de notation habituel fait qu'un échec n'est jamais oublié. Par exemple, si un élève de neuvième ne peut pas voir l'utilité de l'algèbre, il se peut très bien qu'il échoue à ce cours. Plus tard, peut-être que cet élève voudra aller au collège et s'apercevra que l'algèbre est un préalable. Alors, il resuivra ce cours, travaillera fort et obtiendra un A. Qu'est-ce qui apparaîtra dans son bulletin? La plupart des écoles n'effacent jamais un échec dans le dossier d'un élève, au mieux, elles font la moyenne d'un F et d'un A et accordent un C. Dans une école qualité, cependant, le A remplacerait le F parce que le A représente le niveau que l'élève a réellement réussi, et il décrit mieux son degré de maîtrise de l'algèbre.

Mon expérience comme enseignant, conseiller et directeur d'école m'a appris que la peur et le manque de confiance nous mènent à ce que j'ai identifié comme les «six R»:

1. **Ressentiment**. Quand nous blessons les élèves en les punissant, en les humiliant devant leurs pairs, en les empêchant de participer à des activités qu'ils aiment, en les retenant après la classe, nous engendrons chez eux du ressentiment. Et le ressentiment crée ou bien l'envie de se venger, ou bien l'envie de se retirer.

2. **Résistance**. Certains élèves commencent à nous combattre et résistent à nos efforts pour obtenir leur coopération par la menace et la punition parce que leur besoin fondamental de liberté est menacé.

3. **Rébellion.** Quand nous essayons de dominer les élèves en les rendant dépendants de nos récompenses ou effrayés par nos punitions, certains comblent leur besoin de pouvoir en se rebellant et en refusant de coopérer.

4. **Retrait.** Quelques jeunes se retirent et s'éloignent de nous parce qu'ils ont peur. Cela arrive plus souvent au primaire qu'au secondaire, mais des enseignants d'un peu partout me disent qu'ils voient moins fréquemment cette peur de nos jours. De plus en plus d'élèves du primaire choisissent de combattre plutôt que de reculer devant la menace.

5. **Répugnance.** Nous identifions ce comportement chez les élèves par leur refus de coopérer. Ils choisissent de flâner ou de ne rien faire.

6. **Revanche.** Les élèves vandalisent nos écoles pour se venger. Ils s'engagent dans des luttes parce qu'ils veulent se venger ou s'éloigner de ceux qui les blessent et les humilient.

La recherche nous démontre que la punition comme moyen d'obtenir l'obéissance amène les jeunes à résister, à se rebeller, à désobéir et à défier. Ils deviennent irrespectueux, insubordonnés, agressifs et batailleurs. Ils commencent à mentir et à cacher la vérité. Ils blâment les autres. Ils deviennent exigeants et brutalisent les autres. Ils forment des gangs et nouent des alliances contre l'autorité, ou ils deviennent craintifs, timides, mal à l'aise. Ils répugnent à tenter de nouvelles expériences et craignent de dire la vérité. Ils peuvent se renfermer, tomber dans la fantaisie et la rêverie.

Quand nous utilisons les récompenses pour créer une relation de dépendance, les élèves sont plus centrés sur la récompense que sur la volonté d'apprendre. Ils peuvent tricher, ils ont besoin de gagner, peu importe le prix, ou encore ils deviennent mielleux pour obtenir nos faveurs. Ils peuvent devenir soumis, conformistes et dociles. Ils peuvent développer un besoin d'être constamment rassurés et approuvés, se sentant en sécurité et motivés seulement quand les autres leur disent qu'ils peuvent l'être. Ils peuvent commencer à se sentir coupables, dépressifs et désespérés. Ils peuvent manifester des problèmes d'alimentation ou d'abus de drogue et d'alcool pour oublier des émotions qu'ils ne souhaitent pas avoir ou pour ressentir des émotions qu'ils n'ont pas vraiment. Ils peuvent devenir silencieux, passifs, malades, ou même suicidaires. Ce ne sont pas là les résultats que les enseignants souhaitent, ni les situations qu'ils désirent quand ils commencent leur carrière.

Ce qu'il faut faire, si nos écoles peuvent encore devenir des écoles qualité, c'est de remplacer la peur et le manque de confiance (les «six R») par le cycle d'une relation de qualité, représenté par le diagramme suivant:

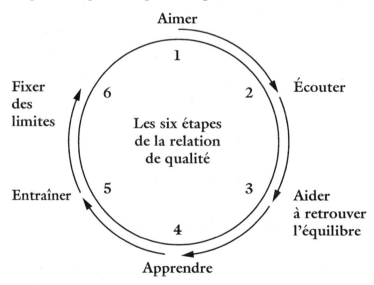

Ce diagramme ressemble à une horloge qui symbolise le temps nécessaire à la construction d'une relation et l'importance de la séquence du cycle.

1. **Aimer.** Comme leader, je ne peux pas simplement demander le respect lié à ma position. Je dois le mériter par la façon dont je traite les autres. Une bonne relation doit être construite sur l'amour, laquelle aide à créer les conditions rendant la qualité possible. La peur la détruit. Nous pouvons dire aux élèves que nous les apprécions douze fois par jour, mais pour qu'ils nous croient nous devons le leur démontrer.

2. **Écouter.** Nous démontrons notre amour quand nous écoutons les autres sans les juger. Cette écoute ne démontre pas seulement que nous nous en soucions et les acceptons, mais elle nous aide aussi à identifier les vrais problèmes et leurs causes plutôt que de n'en traiter que les symptômes. Habituellement, les gens disent comment ils se sentent à ceux en qui ils ont confiance. Nous avons besoin de connaître ces émotions et de les accepter pour ensuite pouvoir travailler sur les comportements et les pensées qui se cachent derrière elles. Alors, et seulement alors, nous pourrons résoudre les problèmes.

3. **Aider à retrouver l'équilibre.** Nous passons ensuite à «aider à retrouver l'équilibre». Favoriser l'habileté à communiquer relativement à certains comportements spécifiques plutôt que d'attaquer quelqu'un sur son caractère ou sa personnalité. Nous ne pouvons pas facilement changer notre caractère et notre personnalité, aussi nous tombons sur la défensive quand nous nous sentons attaqués. Aider à retrouver l'équilibre (aussi appelé thérapie de la réalité) consiste à parler à l'élève de façon qu'il écoute. Cela l'aide à vouloir devenir responsable en choisissant des comportements plus efficaces.

4. **Apprendre**. Dans une école qualité, apprendre est une voie de circulation à double sens. Non seulement les élèves apprennent-ils de leurs enseignants, mais les élèves et les enseignants s'apprennent des choses mutuellement. L'apprentissage peut aussi se faire en dehors des murs de l'école. Il se fait autant dans la communauté qu'à la maison. On doit favoriser la coopération et minimiser la compétition.

5. **Entraîner**. Le leadership est la cinquième habileté par laquelle se développe la qualité. La meilleure façon d'enseigner est d'être un modèle, quelqu'un traitant les autres comme nous voulons qu'ils nous traitent. Si nous voulons le respect, nous devons afficher du respect pour les autres. Si nous voulons la coopération, nous devons aussi coopérer. Nous ne pouvons pas dire à quelqu'un comment être honnête, comment faire de son mieux, comment ne pas renoncer, comment être un bon sportif. La seule façon que je connais d'enseigner ou d'apprendre des valeurs, c'est d'en devenir un modèle observable.

6. **Fixer des limites**. La dernière habileté, c'est de fixer des limites. Il y a des règles dans tout ce que nous faisons. Celles-ci aident à ajouter de la qualité. Si nous ne suivons pas les règles pour cuisiner un gâteau, il sera immangeable. Les règles dans les jeux aident à y trouver du plaisir. Les règles à l'école aident à s'entendre avec les autres. Les règles et la discipline (non les punitions) sont importantes à l'école qualité.

Maintenant, une chose importante que les gestionnaires leaders doivent comprendre, c'est la bonne séquence à suivre dans la démarche de relations de qualité. Celles-ci sont construites sur l'**amour**, lequel est démontré par l'**écoute** des autres et l'aide apportée de façon qu'ils prennent la responsabilité de leur vie. Un gestionnaire leader aide les gens à retrouver leur équilibre et encourage l'**apprentissage** mutuel. Il **entraîne** par l'exemple et fait participer les autres au choix de **limites** que tous peuvent accepter et suivre. Par le maintien de limites, le leader met l'accent sur la discipline et la responsabilité, et non sur la coercition et les punitions.

Pendant plusieurs années, comme gestionnaire patron, j'ai utilisé le processus inverse. Je dirigeais dans le sens inverse des aiguilles d'une montre: «Voilà les règles, ce sont mes **limites**. Je suis ici pour vous **diriger** parce que je suis délégué par l'État de la Californie. Vous êtes ici parce que vous avez beaucoup à **apprendre**, aussi je vais **aplanir les difficultés** pour vous en vous disant quoi apprendre, quand l'apprendre et comment l'apprendre. Ensuite, je vais vous évaluer pour voir si vous l'avez appris. Je vais vous récompenser si vous l'avez fait et vous punir dans le cas inverse. Vous devez mieux **écouter** et faire ce que je veux, quand et comme je le veux. Alors, si vous faites ainsi, je vous **aimerai** probablement, et nous aurons une bonne année.»

Suivre ce cycle dans le sens inverse n'aide pas à développer des relations de qualité, mais favorise plutôt les «six R»!

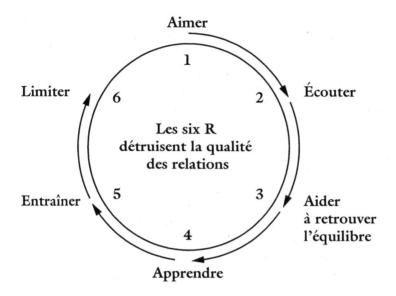

Une personne ne peut devenir leader dans une école qualité, ou dans n'importe quelle organisation, sans apprendre à faire confiance aux autres. La confiance permet des relations de qualité, ce qui rend possible la création d'un environnement propice à l'école qualité, laquelle rend les élèves capables de produire un travail de qualité.

Chapitre 8

De trouver la faute et des solutions gagnant-perdant à trouver des solutions gagnant-gagnant

Les gestionnaires patrons distribuent les blâmes et recherchent le fautif lorsqu'ils rencontrent des problèmes dans leur école. Typiquement, les patrons disent que ce sont les personnes (élèves, enseignants ou parents) qui sont à l'origine des problèmes dans l'école. De leur côté, les gestionnaires leaders savent que les personnes dans le système sont rarement à l'origine des problèmes, que c'est le système lui-même qui en est la source. Les patrons essaient de faire faire aux gens ce qu'eux veulent qu'ils fassent. Les leaders travaillent sur les failles du système et donnent du pouvoir aux gens pour qu'ils participent à la recherche de solution plutôt que de les blâmer pour ce qui ne va pas.

Jeter le blâme sur les autres entraîne la répétition de l'acte et n'amène jamais à trouver des solutions. Quand je travaille avec des enseignants du deuxième cycle du secondaire, je les entends souvent blâmer les enseignants du premier cycle: «Pourquoi ne gardent-ils pas les élèves au premier cycle jusqu'à ce qu'ils démontrent suffisamment d'habiletés et de maturité pour entrer au deuxième cycle?» Quand je travaille avec les enseignants du premier cycle, ceux-ci blâment souvent les enseignants du primaire: «Pourquoi ne gardent-ils pas les enfants au primaire jusqu'à ce qu'ils sachent lire, écrire et calculer?» Quand je travaille avec les enseignants du primaire, ces derniers blâment souvent les parents: «Je ne reçois vos enfants que pendant cinq ou six heures par jour. Si vous ne renforcez pas leurs apprentissages à la maison, je ne serai pas capable de faire plus.» Quand je travaille avec les parents, ceux-ci blâment fréquemment les enseignants parce qu'ils ne font pas le travail qu'ils pensent que ceux-ci devraient faire. Le blâme entraîne un autre blâme, lequel entraîne encore plus de blâme.

Mes vingt-neuf années de travail à l'école publique m'ont enseigné que nous ne pouvons blâmer que trois choses: nous-mêmes, les autres ou le pouvoir établi.

Quand nous nous blâmons nous-mêmes, nous disons des choses comme: «Je ne peux jamais faire les choses correctement; c'est de ma faute.» En nous blâmant nous-mêmes, nous développons l'attitude mentale suivante: «Je ne suis pas correct, mais vous êtes correct.»

Quand nous ne nous sentons pas corrects, nous avons tendance à nous rabaisser et à prendre tout le blâme sur nous, ce qui crée la culpabilité et la dépression. Les gens qui deviennent dépressifs ou qui (dans le langage de la théorie du contrôle) choisissent de devenir dépressifs abusent habituellement d'eux-mêmes de quelque façon. Ils représentent un haut pourcentage des personnes qui se suicident, le suicide étant, en importance, la deuxième cause de décès chez les adolescents américains. Beaucoup abusent des drogues ou de l'alcool. Demandez à n'importe quel adulte ou adolescent s'il éprouve de la satisfaction à prendre de la drogue, et il répondra invariablement non. La plupart admettent qu'il leur faut plus de drogue.

La personne qui se blâme elle-même et se rabaisse développe l'attitude du «je devrais». Je devrais ou j'aurais dû faire ceci ou cela. Et parce que je n'ai pas fait ce que j'aurais dû, je me déprécie et je ne me trouve pas correct. Ce sont là des signes sensibles d'une faible estime de soi.

La seconde possibilité est de blâmer les autres. Quand je blâme quelqu'un d'autre, je le rabaisse et je lui fais des reproches. Ma façon de penser est: «Je suis correct, mais vous n'êtes pas correct.»

Quand je vous perçois comme n'étant «pas correct», je me fâche et, si je ne peux pas composer avec ma colère, je deviens hostile. Les torts que je cause ne sont pas d'abord envers moi-même, mais surtout envers les autres. Je pourrais vous combattre, vous poignarder dans le dos, vous descendre. C'est ce qui se produit avec les jeunes qui se regroupent en gang et essaient de répondre à leurs besoins d'une façon irresponsable en s'attaquant aux autres. Ils adoptent l'attitude du «vous devriez». Vous auriez dû faire cela, ou vous n'auriez pas dû faire cela, et alors vous êtes fautifs. Vous n'êtes pas corrects, vous n'avez que ce que vous méritez.

La dernière possibilité est de blâmer l'ordre établi. Je peux rejeter le blâme sur les parents, le syndicat des enseignants, la commission scolaire, le gouvernement, les élèves ou l'administration scolaire. Quand je blâme l'ordre établi dont je fais partie, j'affiche l'opinion «Je ne suis pas correct, mais vous non plus vous ne l'êtes pas. Ainsi, nous sommes tous perdants!»

Nous devenons facilement frustrés quand nous blâmons l'ordre établi. Toutes les fautes que nous commettons sont contre l'ordre établi. Nous pourrions commettre du vol à l'étalage en disant, pour nous justifier, qu'«ils» pourraient baisser les prix. Parce qu'«ils» ne nous donnent pas ce que nous voulons, nous le leur arrachons d'une façon ou d'une autre. Les enseignants qui blâment l'ordre établi peuvent se présenter à leurs cours sans préparation, ou bien ils évitent les élèves à la fin de la journée. L'attitude que nous adoptons quand nous blâmons l'ordre établi, c'est celle de «ils devraient». Et parce qu'«ils» ne font pas ce qu'«ils» devraient faire, nous devenons frustrés et nous ne donnons pas le meilleur de nous-mêmes.

Ainsi nous nous blâmons nous-mêmes, nous blâmons les autres ou nous blâmons l'ordre établi. Ce sont tous là des exemples de l'approche stimulus-réponse. Nous présumons alors que des éléments qui nous sont extérieurs contrôlent nos comportements. Tant que nous n'aurons pas compris la théorie du contrôle et saisi que ce ne sont pas les autres qui nous dérangent (nous choisissons plutôt de nous déranger nous-mêmes avec ce que les autres font ou ne font pas), nous ne progresserons jamais dans notre recherche de solutions aux nombreux problèmes auxquels nous sommes confrontés dans nos écoles. Un jour, un élève m'a dit: «Quand on utilise la théorie du contrôle dans sa vie, on ne se sert jamais du je devrais ou du j'aurais dû envers nous-mêmes.»

Dans son livre *Teacher and Child* (1972), le Dr Haim Ginott nous recommande de ne jamais blâmer, mais de demander: «Quel est le problème et y a-t-il des solutions possibles?» Lorsque nous devenons des gestionnaires leaders, nous développons l'amélioration et l'appartenance chez les autres en leur donnant le pouvoir de faire partie de la solution. Nous recherchons comment nous pourrions améliorer le système pour répondre aux besoins fondamentaux des personnes de façon qu'elles puissent travailler, être créatives et produire le genre de travail de qualité dont elles sont capables.

Pendant des années, alors que j'enseignais, quand un problème apparaissait, je suggérais à mes élèves la solution et ensuite j'essayais avec grand effort de les amener à l'accepter. J'ai baptisé cela «Ma façon» de résoudre les problèmes. C'est une démarche gagnant-perdant — je gagne, et les élèves perdent. Ce modèle, illustré ci-dessous, repose sur mon habileté à créer une relation fondée sur les récompenses et les punitions, la peur et la dépendance. Si les élèves résistent à ma solution, je vais essayer de les acheter ou de les menacer pour qu'ils aillent dans la direction que je souhaite. J'ai utilisé cette approche pendant des années, jusqu'à ce que je n'en puisse plus. J'étais épuisé.

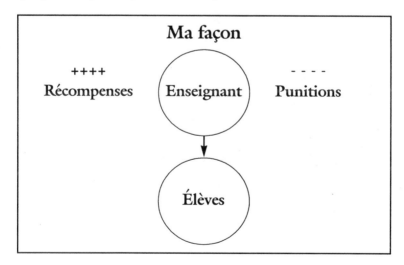

Alors j'ai essayé l'approche permissive. J'ai cédé ma responsabilité de voir à ce que les problèmes se résolvent. J'ai demandé aux élèves comment *ils* allaient résoudre les problèmes et ne leur ai fourni aucune donnée ni suggestion d'idées. Alors, cela devenait «Leur façon» de régler les problèmes. Cela créait une situation **gagnant-perdant** dans laquelle les élèves gagnaient à mes dépens. Avec l'approche «Ma façon», les élèves étaient laissés hors du processus. La résolution de problèmes était impossible pour eux, car la solution était prise à leur place. Par contre, avec l'approche «Leur façon», j'étais laissé hors du processus et la solution m'était imposée.

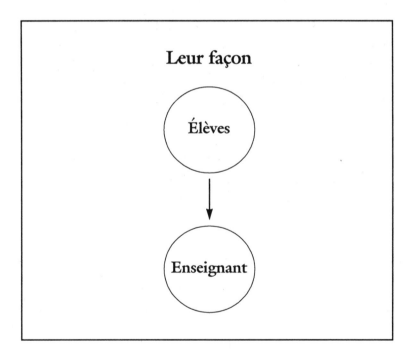

Dans les deux cas, l'une des parties n'avait aucune contribution dans la création mentale de la solution et, par conséquent, aucun engagement dans sa création physique, ne recherchant ainsi aucun effort de coopération pour que la solution marche. J'utilisais cette seconde approche jusqu'à ce que je ne puisse plus tolérer les élèves et alors je revenais à «Ma façon» jusqu'à ce que je sois insatisfait de moi-même, et puis je retournais à «Leur façon» et ainsi de suite. Cela devenait très frustrant pour nous tous.

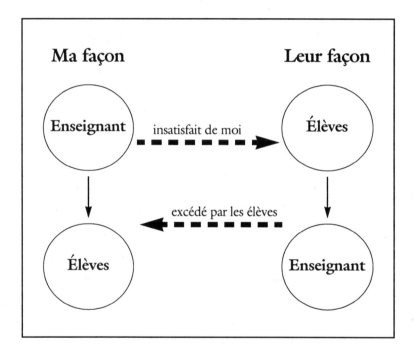

J'ai pensé qu'il devait y avoir une meilleure façon de faire. J'ai trouvé la clé de «Notre façon» dans les livres de Stephen R. Covey: *Principle-Centered Leadership* (1992) et *The Seven Habits of Highly Effective People* (1989). Contrairement à «Ma façon» et à «Leur façon», cette approche de résolution de problèmes n'est pas fondée sur la domination, mais plutôt sur le pouvoir de gérer le processus. Elle n'est établie ni sur la peur et la dépendance, ni sur la récompense et la punition. Elle n'enlève pas non plus la responsabilité de l'enseignant en permettant à l'élève de décider quelle solution il utilisera. Avec «Notre façon», l'enseignant décide de partager la responsabilité de la résolution de problèmes en faisant participer les élèves au processus tout en demeurant engagé en tant qu'enseignant. Ainsi, la résolution de conflits devient une entreprise coopérative.

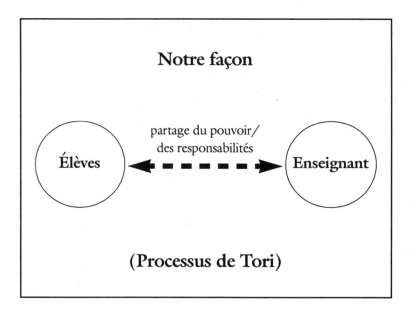

«Notre façon» est le meilleur modèle que je connaisse. En effet, il génère de l'engagement en donnant aux élèves et à l'enseignant le pouvoir de partager la création mentale des solutions de telle façon que chacun devient porteur de ces solutions dans leur création physique. J'ai nommé «Notre façon» le processus coopératif par lequel les élèves et l'enseignant peuvent résoudre les problèmes. Ce processus nous donne la *confiance* (**1**) pour créer l'*ouverture* (**2**) dans notre communication de façon que nous devenions bien *disposés* (**3**) l'un envers l'autre. Cette ouverture crée une relation d'*interdépendance* (**4**) permettant de résoudre les *problèmes* (**5**) d'une façon *responsable* (**6**) par une approche *ouverte* (**7**) et une *communication* (**8**) honnête qui donne l'*énergie* (**9**) pour trouver des *solutions* (**10**) *satisfaisantes* (**11**) pour chaque personne engagée, élèves et enseignant. Cela crée un *environnement* (**14**) *aidant, sans danger* (**12**), *sûr* (**13**), *amical*, où chaque personne est *engagée* (**15**) dans une *relation* (**17**) *vivante* (**16**), plus *proactive* (**18**) que *réactive*. Ainsi les problèmes sont résolus de *l'intérieur* (**19**) et donnent des *résultats* (**20**) de qualité où chacun se sent *concerné* (**21**) parce qu'il a contribué à la solution plutôt que d'être blâmé, d'être le problème, ce qui mène à l'absence de solidarité. Ainsi, chacun se sent membre d'une *équipe* (**22**)*.

Pour les gestionnaires leaders, je présente un guide pratique de résolution de problèmes, étape par étape, à la figure 7. Voici un exemple du déroulement de ce processus.

---

* Dans la version anglaise, l'auteur a créé l'acrostiche TORI PROCESS pour désigner ce processus.

Figure 6

TORI PROCESS (Notre façon)

1. TRUSTING	22. TEAM/TOGERTHERNESS
↓	↑
2. OPENNESS	21. OWNERSHIP
↓	↑
3. RESPONSIVENESS	20. RESULTS
↓	↑
4. INTERDEPENDENT	19. INSIDE OUT
↓	↑
5. PROBLEMS	18. PROACTIVE
↓	↑
6. RESPONSIBLE	17. RELATIONSHIP
↓	↑
7. OPEN	16. ON GOING
↓	↑
8. COMMUNICATION	15. COMMITMENT
↓	↑
9. ENERGY	14. ENVIRONMENT
↓	↑
10. SOLUTIONS	13. SECURE
↓	↑
11. SATISFYING	12. SAFE
→	↑

Comme l'école Apollo s'agrandissait et nécessitait plus de classes, nous avons dû construire rapidement et ajouter des locaux préfabriqués. L'insonorisation de ces locaux n'était pas très bonne. L'un de ceux-ci était utilisé comme classe de musique. Les élèves y jouaient du piano, de la guitare, du banjo, du violon et de l'harmonica. Un bon jour, un élève apporta un bongo. Quand il en joua dans la classe, on l'entendit dans toutes les classes préfabriquées. Les élèves et les enseignants se plaignirent du bruit.

Un gestionnaire patron se serait probablement rendu dans la classe pour blâmer l'élève et menacer de retirer l'instrument ou d'interdire ce genre de pratique stupide. Comme j'avais adopté les principes d'une approche de leader, j'ai constaté que ce n'était pas l'élève le problème. C'était plutôt le bruit de l'instrument dans une classe mal insonorisée (un problème dans le système). Au cours d'une rencontre avec les élèves, je les ai informés que ce bruit agaçait et dérangeait les autres dans leurs apprentissages. Je leur ai dit que je respectais leurs besoins, mais que je respectais aussi les besoins des autres élèves, aussi bien que les miens. Je leur ai demandé: «Pouvons-nous trouver une solution sans blâmer quiconque et de façon qu'aucun groupe ne gagne aux dépens de l'autre? Pouvons-nous résoudre ce problème de façon que chacun y trouve son intérêt?» Par l'approche décrite à la figure 7, nous avons commencé à explorer les solutions possibles.

Nous avons finalement décidé que tout le monde de l'école apporterait des cartons d'œufs que les élèves poseraient sur tous les murs et sur la porte de la classe pour l'insonoriser. En attendant que les travaux soient faits, je garderais le bongo dans mon bureau. En moins d'un mois, les élèves amassèrent et posèrent les trois mille cartons nécessaires.

Quand je leur eus redonné le bongo et qu'ils en jouèrent, on l'entendit à peine dans les autres classes. Le plus important, ce ne fut pas d'avoir réglé le problème, mais de l'avoir fait dans le respect des besoins des uns et des autres, et par une approche collective gagnant-gagnant plutôt que dans le blâme. Ce fut une solution et une expérience de qualité pour tous les gens touchés. La clé, pour ce type de résolution de problèmes, c'est d'éliminer le blâme et l'approche stimulus-réponse pour les remplacer par la compréhension des besoins fondamentaux et de la théorie du contrôle. Il faut aussi travailler ensemble à trouver des solutions de qualité.

Figure 7
Les six étapes de la résolution de problèmes dans une gestion de leader

1. **Identification ou définition du problème:**
   Quel est mon besoin?
   Qu'est-ce qui me dérange?
   Quelle est la difficulté?
   Qu'est-ce qui ne va pas?

2. **Recherche de solutions de rechange:**
   Qu'est-ce qui peut être fait?
   Quelles sont les options dont je dispose?
   Quelles sont les solutions possibles?
   Que puis-je essayer?

3. **Évaluation des solutions:**
   Quels sont les avantages et les désavantages?
   Quels sont les risques?
   Quelles sont les données dont je dispose?

4. **Prise de décision:**
   Quelle est la meilleure solution?
   Qu'est-ce qui semble convenir?
   Qu'est-ce qui minimisera les risques?

5. **Application:**
   Qui fait quoi, et quand?

6. **Suivi et auto-évaluation:**
   Comment ça se passe?
   La décision a-t-elle permis de régler le problème?

Chapitre 9

D'une évaluation par les autres à une auto-évaluation continue

Enseigner aux élèves comment évaluer leur propre travail est un élément clé dans la démarche de transformation d'une école en une école qualité. Au fur et à mesure que l'école se transforme, les enseignants et les administrateurs aussi bien que les autres employés devront également commencer à évaluer leur propre travail. Comme cela a été mentionné au chapitre 1, les étapes qui mènent à la qualité sont:

   a) focaliser sur la qualité;
   b) éliminer la coercition;
   c) amener les élèves à évaluer leur propre travail.

Parmi celles-ci, l'auto-évaluation est la plus difficile pour les élèves. Ils résistent à ce changement plus qu'à tout autre. Cependant, nous devons les convaincre que l'auto-évaluation est une habileté qui les aidera à améliorer la qualité de leur vie non seulement maintenant, mais toujours. Au fur et à mesure qu'ils progressent vers la qualité, les élèves doivent examiner leur travail en essayant de trouver des façons de l'améliorer, car une fois qu'ils auront quitté l'école, ils seront alors autonomes et il n'y aura pas d'enseignant pour leur dire s'ils font ou non un travail de qualité.

Une discussion que le Dr Glasser a eue avec les élèves de l'école Apollo fut particulièrement efficace pour leur faire prendre conscience de l'importance de l'auto-évaluation et de l'exécution d'un travail de qualité. Il leur demanda si quelqu'un d'entre eux avait déjà subi une opération.

Plusieurs répondirent que oui. Il leur demanda alors: «Quand vous cherchez un chirurgien pour vous opérer, en cherchez-vous un coté C+? un coté B-? ou recherchez-vous un chirurgien coté A+? Quand vous allez chez le dentiste, en recherchez-vous un coté B- ou bien un coté A+?» La question eut son effet. Quand nous recherchons quelqu'un pour nous fournir un service, que ce soit dans le domaine de la santé, de l'alimentation ou de l'hôtellerie, nous voulons de la qualité. Personne ne veut payer pour un repas qui vaut un C ou demeurer dans un hôtel coté C. Ce type de questionnement aida les élèves à voir l'importance de faire de leur mieux. La qualité vient habituellement après le deuxième, le troisième ou le quatrième effort lorsque, avec persévérance, ils s'efforceront d'améliorer leur production. Cependant, les élèves résistent à évaluer un travail qu'ils perçoivent comme non pertinent. C'est seulement quand nous leur demanderons de faire un travail signifiant qu'ils s'obligeront eux-mêmes à faire une auto-évaluation soigneuse.

Quand les élèves d'Apollo sont prêts à remettre leur travail, l'enseignant le lit rapidement et demande alors à l'élève: «Est-ce qu'il y a quelque chose que tu pourrais changer, rayer ou ajouter qui améliorerait la qualité de cet écrit?» Un grand pourcentage de nos élèves ont des suggestions en ce sens. Il s'avère que la seule chose que nous ayons à faire est de demander. Cependant, un certain nombre d'entre eux répliquent: «C'est le meilleur travail que j'aie jamais écrit. Ne serez-vous donc jamais satisfait?»

L'enseignant, qui comprend la frustration de l'élève, répond par: «Oui, c'est l'un des meilleurs textes que tu aies faits pour moi. Mais, dis-moi, si tu étais enseignant, quelle note attribuerais-tu à ce travail?» La plupart des élèves répondent B ou B-. Alors, l'enseignant retourne simplement à l'auto-évaluation en demandant: «Qu'est-ce que tu pourrais changer ou ajouter pour en faire un travail qui vaut un A?» Habituellement, cela amène l'élève à continuer à chercher comment il pourrait l'améliorer.

De nombreuses stratégies d'auto-évaluation peuvent aider les élèves de tous les âges à se centrer sur la qualité de leur travail. L'une d'elles se nomme «Où êtes-vous?» (figure 8).

Figure 8
Où êtes-vous?

L'arbre représente les élèves d'une classe à la fin d'une étape ou à la fin d'une période particulière. L'enseignant explique: «Voici notre classe. L'arbre représente les éléments que nous avons étudiés au cours des derniers mois. Réfléchissez à votre compréhension de cette partie de matière. En regardant l'arbre, où vous percevez-vous?» La plupart des élèves aimeraient être au sommet de l'arbre. S'ils disent qu'ils ne sont qu'au milieu de celui-ci, c'est qu'ils perçoivent alors qu'ils n'ont pas fait de leur mieux. Utilisant la théorie du contrôle, l'enseignant demande ensuite: «Qu'est-ce que vous avez à faire pour passer d'où vous êtes à où vous voudriez être?» Si les élèves ont de la difficulté à répondre à cette question, l'enseignant leur demande la permission de leur faire des suggestions. «J'ai quelques idées sur la façon dont vous pourriez vous rapprocher d'où vous voudriez être. Aimeriez-vous les entendre?»

Dans le livre du Dr Glasser, *The Quality School* (1990), il y a un chapitre sur l'évaluation continue où l'auteur introduit l'acronyme SESIR, lequel se réfère au processus «Show me, Explain, Self-Evaluation, Improvement, Repeat». («Montre-moi, Explique, Auto-évalue, Améliore, Répète»). La première partie de l'évaluation continue est: *montre-moi* ce que tu as fait, puis *explique-moi* comment tu l'as fait. Pour pousser les élèves à expliquer leur travail, vous pouvez poser des questions comme: «Peux-tu expliquer comment cela a été fait? Quelle recherche as-tu faite? As-tu été à la bibliothèque ou as-tu interviewé quelqu'un? Comment as-tu organisé tes idées?» La troisième partie de l'évaluation continue est l'application de *l'auto-évaluation*. Lorsque les élèves expliquent comment ils ont fait le travail, vous pouvez leur poser des questions pour les aider à en *améliorer* la qualité. Supposons, par exemple, que, dans une production comptant pour le trimestre, un élève a fait de nombreuses références mais a oublié d'inclure sa bibliographie ou ses notes en bas de page. Vous pouvez indiquer à l'élève que son travail serait plus précis et d'une meilleure qualité si ses sources étaient indiquées. La partie suivante de l'évaluation continue est fondée sur l'amélioration. Comment le travail des élèves pourrait-il être amélioré? Quelles modifications pourraient être apportées? Quand ces améliorations auront été faites, le jeune devra *répéter le processus*: **montrer, expliquer, auto-évaluer, améliorer** et **répéter le processus.** Plus cette démarche sera faite souvent avec les élèves, plus ils l'intégreront et plus ils deviendront efficaces dans l'évaluation de leur propre travail.

La seconde stratégie de l'auto-évaluation, «Qui êtes-vous et pourquoi?» (figure 9), repose sur le principe selon lequel la qualité laisse toujours un sentiment de bien-être. Nous éprouvons de la fierté quand nous avons fait le meilleur travail possible.

Figure 9
Qui êtes-vous et pourquoi?

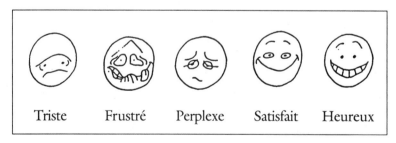

| Triste | Frustré | Perplexe | Satisfait | Heureux |

L'enseignant peut alors demander à chacun de ses élèves de choisir, parmi les cinq visages, celui qui représente le mieux comment il se sent relativement au travail qu'il vient de terminer. S'il choisit celui de droite, cela signifie qu'il est heureux et satisfait de sa production. S'il choisit n'importe quel autre, l'enseignant amorce alors le processus d'évaluation continue décrit plus haut. Il demande ce qui pourrait être fait pour améliorer le travail de façon que l'élève se sente fier et satisfait.

Une stratégie simple, nommée l'échelle d'auto-évaluation (figure 10), est constituée d'une échelle graduée de 1 à 10, 1 représentant une faible qualité, et 10 représentant l'excellence. On demande à l'élève de placer sur l'échelle l'endroit où il situe son travail selon sa qualité.

Figure 10

Échelle d'auto-évaluation

Maîtrise professionnelle

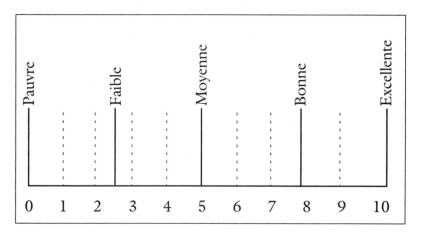

Une modalité particulièrement efficace d'auto-évaluation employée par une enseignante de l'école Apollo est présentée à la figure 11. Bien entendu, il faut d'abord enseigner aux jeunes la maîtrise de l'auto-évaluation pour que cette pratique soit bénéfique. L'enseignante s'offrait en modèle pour le processus d'auto-évaluation. Elle expliquait à ses élèves comment elle évaluait constamment la préparation de ses cours, comment elle les révisait et comment elle les améliorait. Elle leur demandait de la rétroaction sur leur perception du cours et sur la façon dont celui-ci pourrait être amélioré. Elle prêchait par l'exemple et avait compris l'importance de ne pas être pressée, d'y aller doucement avec ses élèves dans sa façon de les initier à l'auto-évaluation. Elle en fit avec eux et les plaça aussi en petits groupes de travail pour expérimenter l'évaluation par les pairs. Dans l'environnement de confiance et de sécurité de sa classe, la rétroaction, les suggestions et l'amélioration de l'auto-évaluation étaient les bienvenues. La démarche ne générait aucune peur.

Figure 11

L'évaluation individuelle

[Sentez-vous libre de faire vos propres modifications pour répondre à vos propres objectifs.]

1. Ce que j'ai le plus aimé dans cette expérience d'apprentissage, c'est: _____

2. Ce que j'ai le moins compris à propos de ce travail et ce dont j'ai besoin pour mieux comprendre, c'est:

   _____

   _____

3. Cette expérience aurait pu être plus enrichissante si:

   _____

   _____

4. Mes besoins fondamentaux sont: le pouvoir, le plaisir, la liberté et l'amour ou l'appartenance. Le besoin qui a été le plus comblé par cette expérience est: _____

   parce que: _____

   _____

   Le besoin qui a été le moins comblé est: _____
   Il pourrait l'être mieux la prochaine fois si: _____

   _____

5. Je pourrais utiliser ce que j'ai appris dans cette expérience de trois façons, soit...

a) _____

b) _____

c) _____

6. Si j'étais l'enseignant de cette classe, une chose que j'aurais faite pour améliorer la qualité du travail aurait été:

_____

_____

7. La note globale que je donnerais pour cette activité d'apprentissage serait:
(encercler un de ces nombres)

0   1   2   3   4   5   6   7   8   9   10
faible   moyen   super

Plusieurs enseignants du primaire semblent bien comprendre les aspects importants de l'auto-évaluation. Plusieurs d'entre eux ne donnent pas de bulletin traditionnel avec des notes ou des lettres. Ils fournissent des rapports faisant état des progrès. Les enseignants mettent d'abord l'accent sur ce que l'élève réussit bien. Ils construisent sur les forces de leurs jeunes avant de faire des suggestions d'amélioration. Ils les incitent à s'auto-évaluer. Par la suite, les élèves sont généralement mieux disposés à recevoir ce genre de recommandations.

À l'école primaire Colbert, à Mead (Washington), les élèves assistent à des rencontres parents-enseignants et, dans dix-huit des vingt-huit classes, ce sont eux qui dirigent ces rencontres en se servant des portfolios qu'ils ont accumulés. Les parents sont souvent surpris de la valeur que cette expérience peut avoir. Par exemple, quand Sally et ses parents arrivèrent à la rencontre de fin d'automne, l'enseignant remarqua que Sally, bonne élève, semblait avoir pleuré. Il demanda s'il ne serait pas mieux de reporter la rencontre. Avant que Sally n'ait pu répondre, son père dit brusquement: «Non, allons-y.» La mère suivit silencieusement.

Sally présenta ses parents à son enseignant et s'assit à un côté de la table. Elle demanda à ses parents de s'asseoir en face d'elle tandis que l'enseignant prit un siège au bout de la table. Très rapidement, Sally sortit trois chemises et un paquet de fiches. Elle commença par expliquer qu'elle allait montrer à ses parents des exemples de ce qu'elle avait fait en début d'année, suivi d'exemples démontrant combien elle s'était améliorée au cours des trois derniers mois. Elle leur fit part de ses projets d'amélioration dans certains domaines où elle pensait qu'elle pouvait faire mieux. Elle expliqua aussi certains de ses comportements à l'école et combien elle était fière d'avoir appris à faire des changements quand les choses n'allaient pas aussi bien qu'elle le voudrait.

Sans hésitation, elle commença à sortir de ses chemises des exemples de productions écrites du début de l'année et de diverses périodes depuis. Au fur et à mesure, elle mentionna ce qu'elle considérait comme ses progrès. Elle poursuivit avec une liste de livres qu'elle avait lus et expliqua comment certaines idées de ses écrits venaient de ces livres. En commençant à présenter ses travaux en mathématique, elle dit qu'elle aimait les maths, mais qu'elle ne pensait pas qu'elle y mettait autant de temps qu'elle aurait aimé. Elle récupéra son paquet de fiches et commença à partager avec ses parents le plan qu'elle voulait mettre à l'essai pour ses travaux de mathématique.

À ce moment, son père dit doucement: «Temps d'arrêt, Sally. J'ai quelque chose à dire à ton enseignant.» Il ajouta: «La raison pour laquelle Sally avait cet air quand elle est arrivée, c'est parce que je lui ai dit avec véhémence combien c'était ridicule pour une enfant de onze ans d'évaluer son propre travail. Je lui ai dit que c'était une perte de temps et que je vous le dirais. Ma femme m'a dit d'être compréhensif et de lui donner sa chance, car Sally semble très heureuse à l'école cette année.» Et il continua: «Sally, je me trompais, et si ton enseignant prend le temps de m'aider, peut-être que je pourrais essayer quelques-unes de ces pratiques avec mes élèves de maths de huitième.» L'enseignant regarda le père dans les yeux et dit: «Je suis désolé de ne pas avoir le temps de vous aider, mais je suis sûr que Sally, elle, l'a.»

Le personnel de l'école primaire Francis Reh, à Saginaw (Michigan), décida d'appliquer l'auto-évaluation à la cérémonie annuelle de récompenses. Beaucoup d'écoles finissent l'année ou le semestre par une cérémonie où certains élèves choisis par le personnel enseignant sont récompensés par des certificats, des rubans ou des prix pour des progrès, pour des réussites, pour leur assiduité ou pour d'autres comportements qui méritent d'être signalés. À l'école Francis Reh, cependant, on demande aux élèves eux-mêmes ce qu'ils considèrent comme leur plus grande amélioration, quel est le travail dont ils sont le plus fiers, ou ce qu'ils ont appris ou fait et qui est très important pour eux.

À leur cérémonie de juin 1993, les élèves ont lu leur auto-évaluation et ils ont été récompensés pour leurs réussites. Voici quelques points que les élèves partagèrent avec l'assemblée: «Je suis fier de moi parce que l'année passée j'avais peur de participer aux discussions de classe. Cette année, j'ai réellement essayé de parler plus»; «Je ne me suis pas battu une seule fois, j'essaie de trouver de meilleures façons de résoudre mes problèmes.»; «J'ai lu cent livres sans qu'on me le demande, par choix»; «J'ai aidé les jeunes de la maternelle à améliorer leur travail». Pendant la lecture des réalisations, des applaudissements spontanés éclatèrent pour chacun des élèves. Ce n'était jamais arrivé auparavant. Par-dessus tout, il y avait un plus grand esprit d'engagement, de fête et de fierté. Pour la première fois, il n'y eut personne de froissé.

L'auto-évaluation est aussi importante pour les enseignants que pour les élèves. Dans le passé, je rencontrais les enseignants une ou deux fois par année et je remplissais l'évaluation standard sur leurs services dans une démarche sans engagement ni investissement réel de leur part. L'enseignant signait cette évaluation, je la signais, et elle était envoyée au bureau du district pour être déposée dans son dossier personnel. Ma compréhension de la théorie du contrôle s'améliorant, je me suis demandé comment des informations aussi fragmentaires pouvaient permettre de choisir les éléments de perfectionnement dont les enseignants avaient besoin. Comment les forces d'un enseignant pouvaient être identifiées en une rencontre aussi courte? J'ai constaté que ceux-ci savaient beaucoup mieux que moi ce qu'ils réussissaient bien et ce qu'ils avaient besoin d'améliorer.

Alors, je leur ai demandé de remplir le formulaire d'évaluation eux-mêmes et de prendre rendez-vous avec moi pour en discuter. Au cours de cette rencontre, je leur demandais de me préciser quatre ou cinq points qu'ils avaient expérimentés avec succès dans leur travail et sur lesquels je pourrais éventuellement donner mon appui, puis je rajoutais deux ou trois observations de mon cru. Je leur demandais de me faire part d'un ou de deux éléments qu'ils essayaient d'améliorer et je vérifiais si je pouvais leur être de quelque utilité dans cette démarche. Le personnel m'a dit que c'était là l'une des plus profitables méthodes d'évaluation qu'il eut expérimentées dans le système d'éducation publique.

Les administrateurs qui ont à évaluer les enseignants devraient développer une démarche d'évaluation qui aide vraiment à l'amélioration de leur enseignement. Très souvent, ceux-ci n'osent pas parler d'un point sur lequel ils voudraient s'améliorer, car ils ont peur que cela serve contre eux. Ils craignent que cette information se retrouve dans leur dossier personnel et devienne un outil pour l'adversaire. Ce n'est pas le but de l'évaluation. Celle-ci doit servir à améliorer l'enseignement et la gestion. Ce principe qui doit régir l'évaluation de l'enseignant doit aussi être appliqué dans l'évaluation des élèves par l'enseignant. Si le directeur met l'accent d'abord sur ce que l'enseignant fait bien, celui-ci sera plus à l'aise pour parler de ses difficultés. Il pourra alors s'établir un dialogue qui aidera à planifier une démarche de perfectionnement.

Une enseignante avec laquelle j'ai travaillé trouvait qu'elle n'avait pas de succès dans ses expériences d'apprentissage coopératif. Je lui ai demandé si elle connaissait quelque chose qui pourrait l'aider à obtenir plus de succès. Elle me répondit qu'elle aimerait vraiment pouvoir observer une autre enseignante, faisant partie de notre personnel, qui semblait bien maîtriser cette approche. «Quand cette enseignante utilise l'apprentissage coopératif, dit-elle, ses élèves parlent toujours de ce qu'ils ont appris quand ils arrivent dans ma classe. Ils semblent tellement stimulés par cette approche.» Nous avons décidé, d'un commun accord, qu'elle lui demanderait la permission d'observer sa prochaine démarche d'apprentissage coopératif. J'ai accepté de la remplacer dans sa classe pour qu'elle puisse vivre cette expérience. Après sa séance d'observation, elle et l'autre enseignante se sont assises ensemble pour en parler.

Voilà le vrai but de l'évaluation en éducation: aider les gens à améliorer la qualité de leur enseignement. On n'a pas agi de cette façon très souvent, mais on peut cependant en tirer une leçon. Si l'on veut inciter les enseignants à fournir un enseignement de qualité, on doit s'y prendre ainsi.

Les directeurs qui sont des gestionnaires leaders parleront de l'importance de l'auto-évaluation. Ils offriront la possibilité aux enseignants de leur faire part de leurs succès lors de leur auto-évaluation. Ils les encourageront à partager les stratégies qu'ils ont découvertes et les expériences qu'ils ont vécues, donnant ainsi lieu à un apprentissage mutuel. Quand les enseignants voient les méthodes et les stratégies efficaces et gagnantes de leurs collègues, ils éprouvent un sentiment de fierté et de cohésion.

Chapitre 10

Autres paradigmes significatifs à prendre en compte

Les chapitres précédents m'ont permis de décrire ce que je considère comme les changements de paradigmes essentiels pour la création d'écoles qualité. Cependant, lorsque le personnel d'une école entreprend sa démarche vers la qualité, d'autres changements de paradigmes significatifs apparaissent. Selon mon expérience, cela arrive une fois que les paradigmes clés sont bien en place.

De l'habileté innée à l'effort

On ne devrait plus mettre l'accent sur l'habileté innée. Il faudrait valoriser l'effort que le jeune met pour maîtriser les habiletés. L'effort nécessite la concentration, la pratique, la répétition. Ultimement, il mène à l'amélioration de la qualité. Les habiletés se développent inévitablement si le jeune est prêt à faire l'effort pour y arriver. Le niveau auquel il commence son entraînement est moins important que celui qu'il atteint en fin de parcours.

De ce qu'ils apprennent à ce qu'ils démontrent

On devrait moins s'inquiéter de remplir la tête des jeunes d'une masse d'informations — cours magistraux, feuilles d'exercices, trousses d'apprentissage — que d'atteindre les résultats que l'on poursuit. Les élèves doivent être capables de démontrer leurs connaissances sous forme d'habiletés. Ce qui compte dans une école qualité, ce n'est pas de se remémorer les connaissances, mais d'utiliser celles-ci pour améliorer notre vie et celle des autres.

Des connaissances éphémères à la maîtrise

Il ne faut plus demander aux élèves de seulement mémoriser et de répéter les informations pour les oublier aussitôt le test passé. À l'école qualité, les élèves doivent maîtriser certaines habiletés pour lesquelles il vaut la peine d'investir temps et énergie. Par la maîtrise de ces habiletés, les élèves peuvent améliorer leur façon de vivre et d'interagir avec les autres.

De rester à rien faire à la réussite

Les élèves ne devraient plus rester à rien faire pendant un semestre ou une année avant de passer à une autre matière ou à une autre classe. Quand ils prouvent leur maîtrise de la matière à la satisfaction de l'enseignant, ils devraient pouvoir passer à l'étape suivante. Ce n'est pas une question de temps, mais une question de découvrir l'utilité de l'apprentissage dans la qualité de vie. À l'école Apollo, quand les élèves démontrent leurs habiletés, beaucoup d'entre eux reçoivent leurs unités sans avoir à «faire tout le temps prévu». Ils peuvent devenir les assistants des enseignants. Ils aident alors l'enseignant en travaillant avec les autres élèves, ce qui n'aide pas seulement ces derniers. En effet, cela aide aussi les assistants, car ils approfondissent ainsi leur compréhension de la matière et améliorent leurs habiletés.

Du conférencier au gestionnaire leader

Ce fut là l'un des plus difficiles paradigmes à changer pour les enseignants et les administrateurs de l'école Apollo lors de notre essai de transformation de cette école en une école qualité. Nous avons eu besoin d'apprendre de nouvelles habiletés pour convaincre les élèves que ce qui vaut la peine d'être appris vaut la peine d'être bien appris. Les élèves apprennent mieux ce dans quoi ils sont engagés que ce qui leur est simplement dit. Les facilitateurs et les gestionnaires leaders ont plus de succès à engager les gens que les conférenciers.

Du test objectif à une évaluation authentique

Une machine ne peut jamais quantifier une expérience de qualité. Il faut développer de nouvelles méthodes pour évaluer ce que les élèves ont appris à l'école qualité. L'auto-évaluation devra être utilisée dans ce genre d'approche. L'exécution réelle, la démonstration et le portfolio sont de bons exemples d'outils d'évaluation. Nous avons un long parcours à faire en ce sens. C'est un processus des plus importants.

D'un horaire fixe à un horaire variable

Nous commençons à voir des horaires mieux adaptés que les traditionnelles périodes de cinquante minutes. Par exemple, nous retrouvons: le bloc horaire; la classe ordinaire le lundi, le mercredi et le vendredi avec des cours au choix sur de plus longues périodes le mardi et le jeudi; des élèves qui suivent des cours intensifs pendant deux ou trois heures alors qu'ils ont leurs autres cours sur des périodes plus courtes; des élèves qui étudient hors campus, dans la communauté aussi bien qu'à l'école; des cours offerts en fin d'après-midi et en soirée. Les possibilités abondent. Tout ce que cela nécessite, ce sont des gens qui veulent essayer des choses différentes et, peut-être, plus efficaces que ce qu'ils ont l'habitude de faire.

De «c'est assez bon comme ça» à l'amélioration continue

Les écoles qualité comprennent que la qualité est une expédition, non une destination. L'important, c'est d'être en route, non d'être arrivé. C'est là le processus de l'amélioration continue; la clé en est l'auto-évaluation.

D'un dirigeant dictateur à un dirigeant chorégraphe

Dans un district favorisant l'école qualité, il n'y a pas de place pour la dictature et la gestion du haut vers le bas. La vision et les règlements ne doivent plus être le fait d'une seule personne. Le dirigeant est un leader qui sait que c'est l'engagement qui crée l'obligation, non les règles ni les directives. Dans cette démarche, il devient un «facilitateur», un meneur, un entraîneur, un visionnaire, quelqu'un «qui commence avec la vision finale en tête et qui sait bien prévoir la séquence des étapes pour y arriver».

D'une éducation qui est l'affaire de l'école à une éducation qui est l'affaire de tous

L'école qualité engage la communauté entière dans l'éducation des jeunes. Le personnel, les élèves, les parents, les citoyens et les gens d'affaires joueront tous un rôle, en s'aidant mutuellement plutôt qu'en se blâmant. Ce n'est qu'*ensemble* que nous pouvons faire les choses différemment.

De la commission scolaire qui assume le leadership à la commission scolaire qui voit à ce que le leadership soit assumé

La responsabilité d'une commission scolaire de qualité est d'établir les politiques et d'engager des gestionnaires leaders qui savent comment travailler avec les gens pour les amener à donner le meilleur d'eux-mêmes. Dans beaucoup trop de commissions scolaires, c'est «nous contre eux», une «partie de pouvoir» qui empêche les écoles de développer la qualité à cause de sa nature même. Nous devons avoir des leaders qui comprennent que le «pouvoir avec» entraîne le «pouvoir interne» et qu'ainsi la qualité peut être vécue par le personnel et les élèves.

De je, moi et mes choses à nous et nos choses

On ne peut continuer dans la voie où un groupe décide ce qu'un autre groupe doit faire et qui, ensuite, surveille ce dernier pour s'assurer qu'il le fera — pas plus les administrateurs envers les enseignants que les enseignants envers les élèves, que les enseignants envers les parents, que les parents envers les enseignants, que les membres de la commission scolaire envers le président, que le président envers les administrateurs. La qualité se développe par le partage du point de vue «nous et nos choses». Les leaders du système scolaire créeront les conditions propices à la qualité par l'approche du travail d'équipe.

De l'apprentissage centré sur le contenu des livres à l'apprentissage centré sur le processus

Les enseignants d'une école qualité ne comptent pas sur les livres comme principale source d'apprentissage.

Apprendre avec ces enseignants implique plus d'actions, de démarches de groupe et de possibilités d'application. Les livres ne sont qu'un supplément à l'apprentissage dans la communauté, à la résolution de problèmes, au développement des habiletés, de la pensée critique, de la capacité de rechercher et d'utiliser l'information et la technologie, etc.

D'une démarche réactive à une démarche proactive

Dans l'école qualité, le personnel mettra fin à la pratique qui consiste à éteindre les petits feux et à réagir aux quelques individus qui passent leur temps à se plaindre, car cela permet à ceux-ci de déterminer continuellement les priorités. Ils s'occuperont plutôt de repérer les causes des difficultés de communication et d'améliorer les techniques de résolution de problèmes. Ils donneront ainsi du pouvoir à la majorité qui veut aider à améliorer l'école et qui ne se contente pas d'attendre et de se plaindre. Ils identifieront ce qui va bien plutôt que de mettre l'accent sur ce qui ne va pas. Ils se réjouiront collectivement des succès plutôt que d'essayer d'en prendre le mérite personnellement.

*   *   *

Beaucoup d'éducateurs sont familiers avec les écrits du Dr Deming sur les éléments qui favorisent la qualité et aussi avec ceux du Dr Covey sur les sept habitudes des leaders efficaces ainsi que les sept principes sur lesquels ces habitudes sont fondées. Ces deux distingués éducateurs décrivent de façon très éloquente quelques-uns des comportements et des responsabilités des gestionnaires leaders. Le Dr Glasser nous dit pourquoi les quatorze éléments du Dr Deming et les habitudes et les principes du

Dr Covey fonctionnent bien actuellement. En effet, les gens n'ont pas tendance à changer tant qu'ils n'ont pas compris *pourquoi* ils devraient le faire. Le Dr Glasser nous enseigne à interagir avec les personnes de telle façon qu'elles développent une motivation intrinsèque, laquelle est fondée sur leurs besoins fondamentaux et sur la pratique de l'auto-évaluation. L'engagement personnel et le sentiment de propriété ainsi créés leur fera ressentir l'obligation de changer. C'est là la théorie du contrôle, un processus interne très puissant comparativement aux futiles efforts d'une approche coercitive (S-R) où l'on essaie d'obliger les personnes à changer par des pressions externes.

Il existe de nombreux programmes à la disposition des administrateurs et des enseignants. À titre d'exemples, on peut citer l'instruction en clinique, la maîtrise de l'apprentissage (apprendre à apprendre), l'apprentissage coopératif, l'apprentissage en équipe, des programmes portant sur les habiletés de base, des programmes modèles, des programmes intégrés, et bien d'autres encore. Tous ces programmes contiennent des idées intéressantes et des approches nouvelles susceptibles d'aider les élèves à apprendre plus efficacement. Mais comment convaincrez-vous les autres que d'utiliser ces différents programmes en vaut le temps et l'énergie? Si les véritables changements viennent de l'intérieur, comment feront les dirigeants pour amener les gens à prendre la décision de s'engager dans ces changements?

Les enseignements du Dr Glasser nous invitent à prendre en compte tous les paradigmes dont il est question dans ce livre. Les gens qui adoptent ces paradigmes choisissent de changer parce qu'ils voient des avantages à le faire, non seulement pour eux-mêmes, mais aussi pour ceux qu'ils influencent et dirigent.

Permettez-moi une courte synthèse de quelques-uns des principes que les enseignants qui désirent devenir des enseignants gestionnaires de qualité mettront en pratique. Ils passeront d'un enseignement de ce qu'ils croient être obligés d'enseigner à un enseignement où ils mettront l'accent sur ce qui vaut la peine (ou qui est utile) de l'être. Ces enseignants réaliseront que, si les élèves n'apprennent pas de la façon dont ils enseignent, ils devront enseigner de la façon dont ceux-ci apprennent. Les enseignants de qualité expliqueront toujours à leurs élèves pourquoi les tâches et le matériel d'apprentissage peuvent être utiles maintenant et plus tard, et comment, d'une façon ou d'une autre, cela ajoutera de la qualité dans leur vie et peut-être aussi dans celle des autres. Les enseignants de qualité utiliseront des méthodes variées parce qu'ils savent que les élèves n'apprennent pas tous la même chose de la même façon et en même temps. Dans la mesure du possible, ils transformeront les connaissances que les jeunes apprennent en habiletés spécifiques telles qu'écrire, parler ou calculer de telle manière que les élèves puissent en faire la démonstration.

Les enseignants de qualité apprendront aux élèves comment évaluer et améliorer leur propre travail, une habileté essentielle à l'aube du XXIe siècle. En général, quand quelqu'un fait une erreur ou met peu d'effort dans l'exécution d'une tâche, les gens sont moins intéressés par les excuses et les punitions que par la façon dont le travailleur pourra accomplir cette tâche correctement. Les élèves devront d'abord apprendre cette réalité à l'école pour pouvoir la transférer dans des situations de travail. Les enseignants de qualité donneront toujours aux élèves la possibilité d'améliorer leur travail plutôt que de leur donner une appréciation ou un résultat immuable. Les enseignants de qualité auront des attentes élevées envers leurs élèves parce qu'ils croient que, dans des conditions favorables, ceux-ci feront un travail de meilleure qualité qu'ils ne le font actuellement.

Les enseignants de qualité verront l'importance d'intégrer des processus de groupe à leur enseignement, par exemple l'apprentissage coopératif. Ils savent que c'est quand ils enseignent aux autres que les élèves apprennent le plus, c'est pourquoi ils instaureront le tutorat par les pairs dans leurs classes. Les enseignants de qualité travailleront à améliorer le système plutôt que de blâmer les élèves, les parents ou les administrateurs pour les problèmes auxquels ils sont confrontés. Ils investiront leur temps et leur énergie là où cela peut vraiment faire une différence, mais n'essayeront pas de changer les choses sur lesquelles ils n'ont aucun pouvoir.

Les enseignants de qualité auront peu de problèmes de discipline parce que, dans leur classe, les élèves auront des réponses satisfaisantes à leurs besoins fondamentaux. L'antidote aux problèmes de discipline n'est pas la punition, mais des *connaissances utiles et un enseignement de qualité.* Les enseignants de qualité entendent souvent, de la part de leurs élèves, des déclarations comme celles-ci: «Mlle Taylor rend le cours d'histoire très intéressant. Elle me permet de voir comment ce qui est arrivé dans le passé est réellement lié à ce qui arrive dans le monde d'aujourd'hui»; «J'aime ce cours parce que nous pouvons poser des questions et que l'enseignant nous écoute vraiment. On sent qu'il accorde de la valeur à nos opinions»; «Pour la première fois, j'aime vraiment les sciences. Nous faisons beaucoup d'expérimentations pratiques qui nous permettent de découvrir pourquoi les choses fonctionnent comme elles fonctionnent»; «À l'occasion, nous travaillons en groupe dans le cours de Mme Brown. J'aime cela»; «Mme Smith passe plus de temps à nous dire ce que nous avons fait de bien plutôt que ce que nous avons fait de mal. Comme résultat, nous travaillons plus fort»; «Mme Fernandez croit réellement que j'ai quelque chose à offrir, je travaille donc avec acharnement pour prouver qu'elle a raison».

Une discipline défaillante et des problèmes de comportement sont plus communs dans les cours où les élèves posent des questions comme: «Pourquoi devons-nous apprendre cela?» Et l'enseignant de répondre: «Parce que cela fera partie du test,» ou «Parce que je vous le dis» ou «Un jour, vous comprendrez. Pour le moment, faites-le». Le même enseignant a tendance à faire des commentaires comme: «Vous ne trouverez jamais de travail tant que vous aurez ce genre d'attitude»; «Est-ce que je devrai vous envoyer au bureau du directeur ou appeler vos parents, ou bien ferez-vous enfin ce que je vous ai demandé?»; «Vous pouvez faire le travail maintenant ou après la classe»; «Vous êtes paresseux et trouvez toujours une excuse pour ne pas travailler»; «Pourquoi ne pouvez-vous pas travailler aussi bien que mes autres élèves?» De telles déclarations sont le fait de gestionnaires de classes patrons. Habituellement, les élèves leur résistent plutôt que de coopérer avec eux. Les enseignants patrons consacrent temps et énergie à essayer de forcer les élèves à obéir plutôt que d'essayer de trouver des façons efficaces d'enseigner les habiletés utiles.

Partout, quand les enseignants constateront que la partie la plus importante et la plus difficile de leur travail est de gérer les élèves; quand ils verront comment les élèves ne sont motivés que de l'intérieur par une réponse adéquate à leurs besoins fondamentaux, que l'utilisation de la coercition n'améliore pas la situation, que tous les changements significatifs et durables ne viennent que de l'intérieur; quand ils essaieront de régler les problèmes par l'approche «Notre façon», alors ils auront des solutions gagnant-gagnant. Quand ils écouteront les élèves plutôt que de les réprimander; quand ils abandonneront la recherche du coupable et essaieront de trouver des solutions avec lesquelles chacun se sent bien; quand ils passeront de la compétition à la coopération et au travail d'équipe; quand ils travailleront à bâtir et à maintenir la confiance de telle façon que les élèves se sentent en sécurité; et quand ils connaîtront l'importance de l'amélioration continue et de la recherche de nouvelles voies pour vraiment atteindre leurs élèves; alors il y aura des écoles qualité partout, plutôt que quelques-unes çà et là. Je vous souhaite beaucoup de succès dans cette démarche vers la qualité, le seul objectif qui vaille la peine d'être visé en éducation.

Références et lectures recommandées

Bailey, William. *School-Site Management Applied*. Lancaster, PA: Technomic Pub. Co., 1991.

Bélair, Francine. *Pour le meilleur… jamais le pire*. Montréal: Chenelière/McGraw-Hill, 1996.

Block, Peter. *The Empowered Manager: Positive Political Skills at Work*. San Francisco, CA: Jossey-Bass, 1987.

Bloom, Benjamin S., George F. Madaus et J. Thomas Hastings. *Evaluation to Improve Learning*. New York, NY: McGraw Hill, 1981.

Boffey, Barnes. *Reinventing Yourself*. Chapel Hill, NC: New View Publications, 1993.

Buscaglia, Leo F. *Living, Loving and Learning*. New York, NY: Holt, Rinehart and Winston, 1982.

Carducci, Dewey. *The Caring Classroom: A Guide for Teachers Troubled by Difficult Student and Classroom Disruption*. Palo Alto, CA: Bull Publishing Co., 1984.

Covey, Stephen R. *The Seven Habits of Highly Effective People: Restoring the Character Ethic*. New York: Simon & Schuster, 1989.

Covey, Stephen R. *Principle-Centered Leadership*. New York, NY: Summit Books, 1991.

Deming, W. Edwards. *The New Economics for Industry, Government, Education*. Cambridge, MA: Massachusetts Institute of Technology, 1993.

De Pree, Max. *Leadership Is an Art*. East Lansing, MI: Michigan University Press, 1987.

Dobyns, Lloyd. *Quality or Else: The Revolution in World Business*. Boston, MA: Houghton Mifflin, 1991.

Dobyns, Lloyd. *Thinking about Quality: Progress, Wisdom, and the Deming Philosophy*. New York, NY: Times Books/Random House, 1994.

Dyer, Wayne. *Pulling Your Own Strings*. New York, NY: T.Y. Crowell Co., 1978.

Fowler, Shelagh MacDonald, Betty Wiseman Doucette. *PACTE, Programme de développement des habiletés socio-affectives*. Montréal: Chenelière/McGraw-Hill, 1996.

Gabor, Andrea. *The Man Who Discovered Quality: How W. Edwards Deming Brought the Quality Revolution to America*. New York, NY: Random House, 1990.

Ginott, Haim G. *Teacher and Child: A Book for Parents and Teachers*. New York, NY: McMillan, 1972.

Glasser, William. *Reality Therapy*. New York, NY: Harper-Collins, 1965.

Glasser, William. *Écoles sans échec*. Paris: Fleurus, 1973

Glasser, William. *Control Theory*. New York, NY: Harper-Collins, 1984 (Traduction en préparation, Chenelière/McGraw-Hill).

Glasser, William. *Control Theory in the Classroom*. New York, NY: HarperCollins, 1986.

Glasser, William. *L'école qualité*. Montréal: Éditions Logiques, 1996.

Glasser, William. *The Quality School Teacher*. New York, NY: HarperCollins, 1993. (Traduction en préparation chez Chenelière/McGraw-Hill).

Glasser, William. *The Control Theory Manager*. New York, NY: HarperCollins, 1994.

Good, Perry. *In Pursuit of Happiness*. Chapel Hill, NC: New View Publications, 1987.

Good, Perry. *Helping Kids Help Themselves*. Chapel Hill, NC: New View Publications, 1992.

Gossen, Diane. *Restitution*. Chapel Hill, NC: New View Publications, 1993. (Traduction en préparation chez Chenelière/McGraw-Hill).

Greene, Brad. *Self-Esteem and the Quality School*. Quality Training, 938 Rivera Street, Simi Valley, CA 93065.

Johnson, David W., Roger T. Johnson, Edith J. Holubec et Patricia Roy. *Circles of Learning: Cooperation in the Classroom*. Alexandria, VA: Association for Supervision and Curriculum Development, 1984.

Johnson, LouAnne. *My Posse Don't Do Homework*. New York, NY: St. Martin's Press, 1992.

Kohn, Alfie. *No Contest: The Case Against Competition*. Boston, MA: Houghton Mifflin, 1987.

Leonhardt, Mary. *Parents Who Love Reading, Kids Who Don't: How It Happens and What You Can Do about It*. New York, NY: Crown Publishers/Random House, 1993.

Lepper, Mark R., et David Greene, éds. *The Hidden Costs of Reward: New Perspectives on the Psychology of Human Motivation*. Hillsdale, NJ: L. Erlbaum Assoc., 1978.

McNeil, Linda. *Contradictions of Control: School Structure and School Knowledge*. New York, NY: Routledge and K. Paul, 1986.

Olson, Ken. *The Art of Hanging Loose in an Uptight World: Featuring Psychological Exercises for Personal Growth.* New York, NY: Simon & Schuster, 1974.

Orsburn, Jack D., Linda Moran, Ed Musselwhite, Joan H. Zenger avec Craig Perrin. *Self-Directed Work Teams: The New American Challenge.* Homewood, IL: Business One Irwin, 1990.

Ryan, Kathleen, et Daniel K. Oestreich. *Driving Fear Out ot the Workplace: How to Overcome the Invisible Barriers to Quality, Productivity, and Innovation.* San Francisco, CA: Jossey-Bass, 1991.

Stevenson, Harold W., et James W. Stigler. *The Learning Gap: Why Our Schools Are Failing and What We Can Learn from Japanese and Chinese Education.* New York, NY: Summit Books, 1992.

Sullo, Robert. *Teach Them to Be Happy.* Chapel Hill, NC: New View Publications, 1989.

Tinsley, Mariwyn, et Mona Perdue. *The Journey to Quality.* Chapel Hill, NC: New View Publications, 1992. (Traduction en préparation chez Chenelière/McGraw-Hill).

Toutes les stratégies d'auto-évaluation et le processus TORI (TORI PROCESS) pour la résolution de problèmes ont été créés par l'auteur.

True Colors. Corona, CA: True Colors Communications Group, 1987.

Petals. Chapel Hill, NC: New View Publications, 1992.

Autres titres

GESTION DE CLASSE

À livres ouverts	*Debbie Sturgeon*
Activités de lecture pour les élèves du primaire	2-89310-160-7
Apprendre… c'est un beau jeu	*M. Baulu-MacWillie, R. Samson*
	2-89310-038-4
Vidéocassette	2-89310-038-4-V
Apprendre et enseigner autrement	*P. Brazeau, L. Langevin*
Guide d'animation	2-89461-024-6
Vidéo n° 1 — **Déclencheur**	2-89461-024-6-V1
Vidéo n° 2 — **Un service-école pour jeunes à risque**	
d'abandon scolaire	2-89461-024-6-V2
Vidéo n° 3 — **Le parrainage académique**	2-89461-024-6-V3
Vidéo n° 4 — **Le monitorat d'enseignement**	2-89461-024-6-V4
Vidéo n° 5 — **La solidarité académique**	2-89461-024-6-V5
Construire une classe axée sur l'enfant	*S. Schwartz, M. Pollishuke*
	2-89310-049-X
Devoirs sans larmes	*Lee Canter*
Guide à l'intention des parents pour motiver les enfants à faire	
leurs devoirs et à réussir à l'école	2-89310-315-4
Guide pour les enseignantes et les enseignants de la 1re à la 3e année	2-89310-316-2
Guide pour les enseignantes et les enseignants de la 4e à la 6e année	2-89310-317-0
Être prof, moi j'aime ça!	*L. Arpin, L. Capra*
Les saisons d'une démarche de croissance pédagogique	2-89310-198-4
Intégrer les matières de la 7e à la 10e année	*Ouvrage collectif*
	2-89310-319-7
Le conseil de coopération	*Danielle Jasmin*
	2-89310-200-X
Vidéocassette	2-89310-200-X-V
Quand revient septembre…	*Jacqueline Caron*
Guide sur la gestion de classe participative	2-89310-199-2
Quand les enfants s'en mêlent	*Lisette Ouellet*
Ateliers et scénarios pour une meilleure motivation	2-89310-313-8
Relevons le défi	*Ouvrage collectif*
Guide sur les questions liées à la violence (7e à 10e année)	2-89310-318-9

APPRENTISSAGE COOPÉRATIF

Apprendre la démocratie
Guide de sensibilisation et de formation à la
   démocratie selon l'apprentissage coopératif
     C. Évangéliste-Perron,
     M. Sabourin, C. Sinagra
     2-89461-032-7

Apprenons ensemble
L'apprentissage coopératif en groupes restreints
     Judy Clarke et coll.
     2-89310-048-1

L'apprentissage coopératif
Théories, méthodes, activités
     Philip C. Abrami et coll.
     2-89310-171-2

Le travail de groupe
Stratégies d'enseignement pour la classe hétérogène
     Elizabeth G. Cohen
     2-89310-206-9

MATHÉMATIQUES

Les mathématiques selon les normes du NCTM 9e à 12e année

Analyse de données et statistiques — 2-89310-204-2
Géométrie sous tous les angles — 2-89310-205-0
Intégrer les mathématiques — 2-89310-203-4
Un programme qui compte pour tous — 2-89310-202-6

SCIENCES, TECHNOLOGIE ET ENVIRONNEMENT

La classe multimédia
     A. Heide, D. Henderson
     2-89310-239-5

La classe verte
     Adrienne Mason
     2-89310-072-4

L'éducation technologique
Guide d'enseignement
     Daniel Hupé
     2-89310-207-7

Question d'expérience
Activités de résolution de problèmes en sciences et en technologie
     David Rowlands
     2-89310-169-0

Sciences en ville
     H. Bérubé, D. Gaudreau
     2-89310-236-0

Supersciences
Le règne animal
Les plantes
Matière et énergie
     Susan V. Bosak
     2-89310-332-4
     2-89310-331-6
     2-89310-330-8

Techno, activités pour les élèves
Guide pratique d'enseignement
     B. Reynolds et coll.
     0-02-954186-7

INTERCULTURALISME

La classe interculturelle
Guide d'activités et de sensibilisation

Cindy Bailey
2-89310-153-4

ÉVALUATION

Construire la réussite
L'évaluation comme outil d'intervention
Profil d'évaluation
Une analyse pour personnaliser votre pratique
Guide du formateur

R. J. Cornfield et coll.
2-89310-071-6
Louise M. Bélair
2-89310-314-6
2-89310-445-2

ADMINISTRATION SCOLAIRE

L'approche-service appliquée à l'école
Une gestion centrée sur les personnes

Claude Quirion
2-89310-237-9

**POUR PLUS DE RENSEIGNEMENTS OU POUR COMMANDER,
COMMUNIQUEZ AVEC NOTRE SERVICE À LA CLIENTÈLE
AU (514) 273-8055.**

Chenelière/McGraw-Hill
215, rue Jean-Talon Est
Montréal (Québec)
Canada H2R 1S9
Téléphone: (514) 273-1066
Télécopieur: (514) 276-0324
e-mail: chene@dlcmcgrawhill.ca

Je serais très heureux d'échanger avec vous à propos de ce livre et des stratégies ou des pratiques à mettre en place pour créer des écoles qualité.

Gervais Sirois

Gervais Sirois
CEDEP inc.*
40, rue des Flandres
Rimouski (Québec)
G5L 2L5
téléphone: (418) 725-4076
télécopieur: (418) 721-3896

* CEDEP: Centre d'étude et de développement pédagogique inc.

- Cap-Saint-Ignace
- Sainte-Marie (Beauce)
Québec, Canada
1996

«L'IMPRIMEUR»